日本人なら知っておきたい日本文学

ヤマトタケルから兼好まで、人物で読む古典

蛇蔵&海野凪子

日本人なら知っておきたい日本文学 目次

【まえがきに代えて】

ある時外国人の友人に聞かれました
日本文学といえば『源氏《げんじ》物語』ですよね
作者の紫《むらさき》式部《しきぶ》ってどんな人？
この本のマンガ担当 蛇蔵
……こ、答えられない!!
“作者と作品名と文法を丸暗記”それで私の古典は終わっている……!!
それって「教養」とはとてもいえないのでは……!?
ムラサキ※1をよく知らない!? どうして!! 海外ではとても評価が高いのに!!
紫式部？
少し知るとおもしろいですよ 原稿に追われてホテル※2にカンヅメの伝説があったり まるで今の作家みたいで
エッセイ担当
海野→凪子
（日本語教師）

※1 英文では「Murasaki」、「Lady Murasaki」などと書かれることが多い

※2 正確にいうとお寺

もっと教えて
いやあのだったら勉強しなおさせて
じゃあ
一緒に
古典の扉

名前しか知らなかった“あの人”たちに会ってみると

紫式部は未完成原稿の流出に悩んでいたり
あ——ッ部屋に隠してた原稿がない〜〜!!
犯人は藤原道長《ふじわらのみちなが》様だわ……
天下人《てんかびと》のくせに留守の間に家さがしするとか信じらんない

清少納言《せいしょうなごん》は自分に正直すぎたり
説教するお坊さんはイケメンがいい
顔を見てる間は話も聞くじゃない？ブサイクだと思わずよそ見するから説教の内容も頭に入んないわ

今の私たちとあまり変わらない気がしてきたのです

お楽しみ頂ければ
幸いです

【一章】

清少納言《せいしょうなごん》

『枕草子』より

【清少納言《せいしょうなごん》】
（九六五～一〇二五年頃）
平安時代中期の女房。和漢の学に通じた才女で、一条《いちじょう》天皇の中宮定子《ちゅうぐうていし》に仕えて寵遇《ちょうぐう》を受けた。

【枕草子《まくらのそうし》】
一〇〇〇年頃成立とされる。清少納言が定子のもとに出仕していた頃の見聞や体験、感想などが記されたものである。全体は約三百段から成り、類聚《るいじゅう》的（同じ種類を集めること）な段・日記的な段・随想的な段に分けられる。

【言いたい放題 清《せい》少《しょう》納《な》言《ごん》】

『枕草子』は「春はあけぼの」だけでは終わりません
にくきもの※
急用のときに来て長話する客 特にこっちから断れないえらい人が困る
でね～うちの娘が…
こっちは忙しいんだよ!!
人のことは
羨ましい～～!!
自分のことは
私かわいそう!!
どうでもいいことは
教えて教えて!!
なんて言う手合いもキライ
眠たくて横になってる時の蚊
プ～ーン
あれはイラッと来る
うるさい車を乗り回す人もね
耳、大丈夫なの?
ギー
ギィー
ガン
ガラ
ギー

※にくらしいもの（『枕草子』二六段） 講談社学術文庫参照

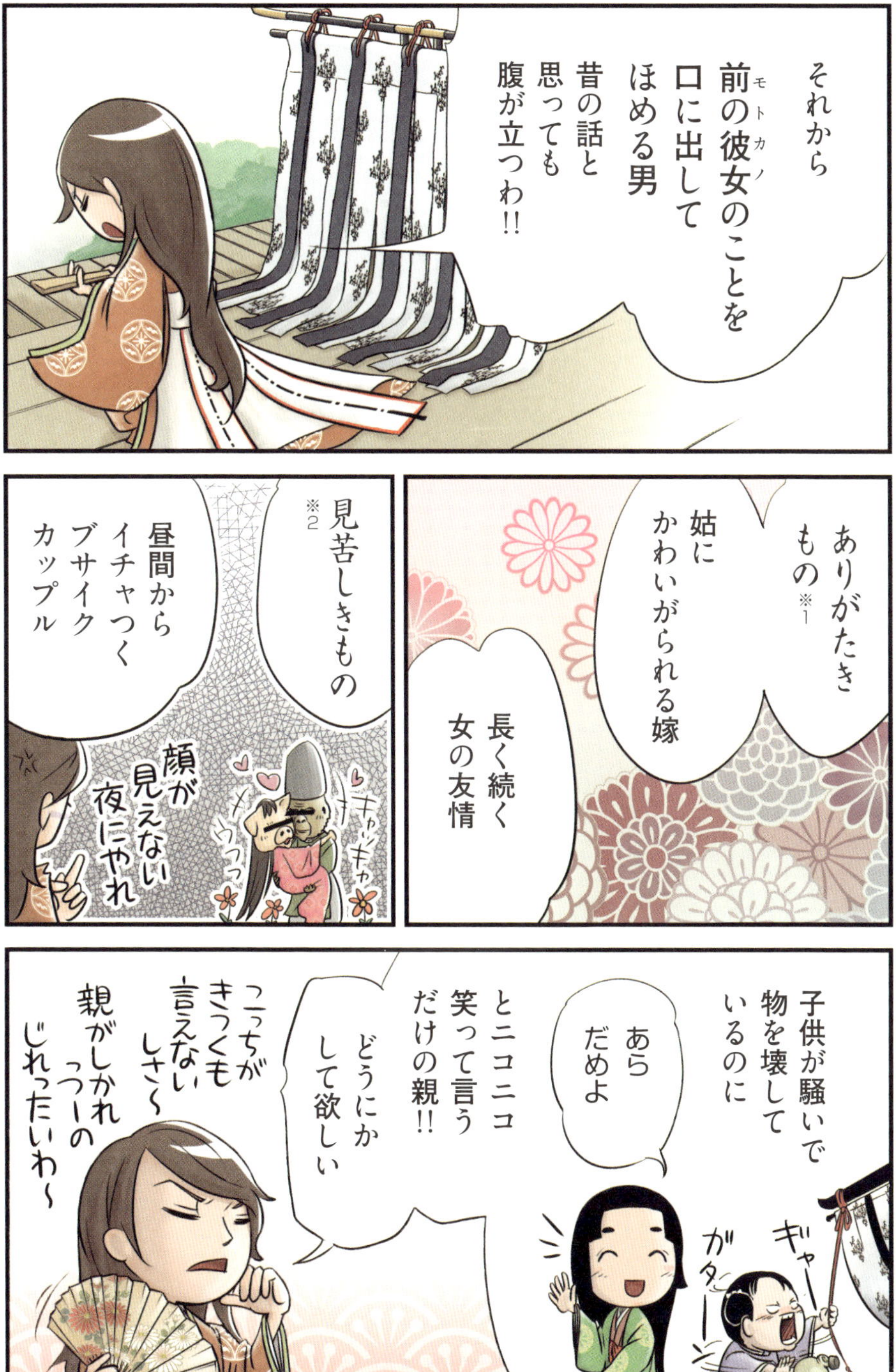

※1 めったにないもの（七一段）「有り難し」とはあることが珍しいこと。感謝の意味をもつようになるのは近世から

※2 見苦しいもの（一〇三段）

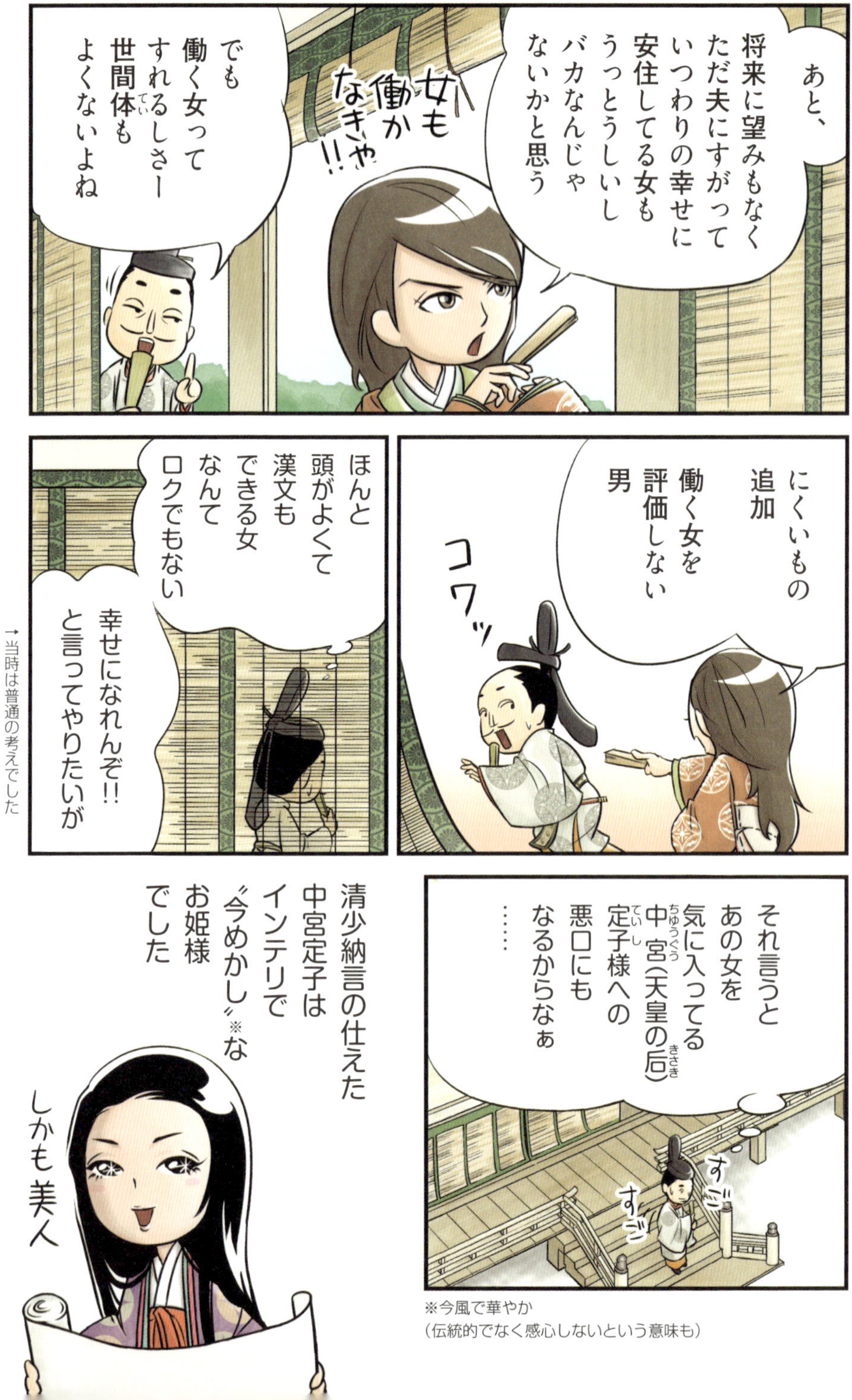
あと、将来に望みもなくただ夫にすがっていつわりの幸せに安住してる女もうっとうしいしバカなんじゃないかと思う
女も働かなきゃ!!
でも働く女ってすれるしさー世間体《てい》もよくないよね
にくいもの追加 働く女を評価しない男
コワッ
ほんと頭がよくて漢文もできる女なんてロクでもない
幸せになれんぞ!!と言ってやりたいが
→当時は普通の考えでした
それ言うとあの女を気に入ってる中宮《ちゅうぐう》(天皇の后《きさき》)定子《ていし》様への悪口にもなるからなぁ……
すご すご
清少納言の仕えた中宮定子はインテリで〝今めかし〟※なお姫様でした
しかも美人

※今風で華やか
（伝統的でなく感心しないという意味も）

父は美貌と風流で鳴らした関白《かんぱく》※藤原道隆《ふじわらのみちたか》
母は男性顔負けの本格漢詩人高階貴子《たかしなきし》
余談
当時の女性は名前が不明のことが多くましてや読みはわからないので音読みが慣例となってます
清少納言や紫式部は女房名
貴子《きし》は「たかこ」だったかも
兄はわずか21歳で内大臣になったイケメン伊周《これちか》
キャ
19歳で少佐になったこの人↓並みの出世
きらびやかDNAのいいとこ取りの定子に一条《いちじょう》天皇はぞっこん
君みたいにキレイな上話してて楽しい人はいない……!!

※最高位の公家

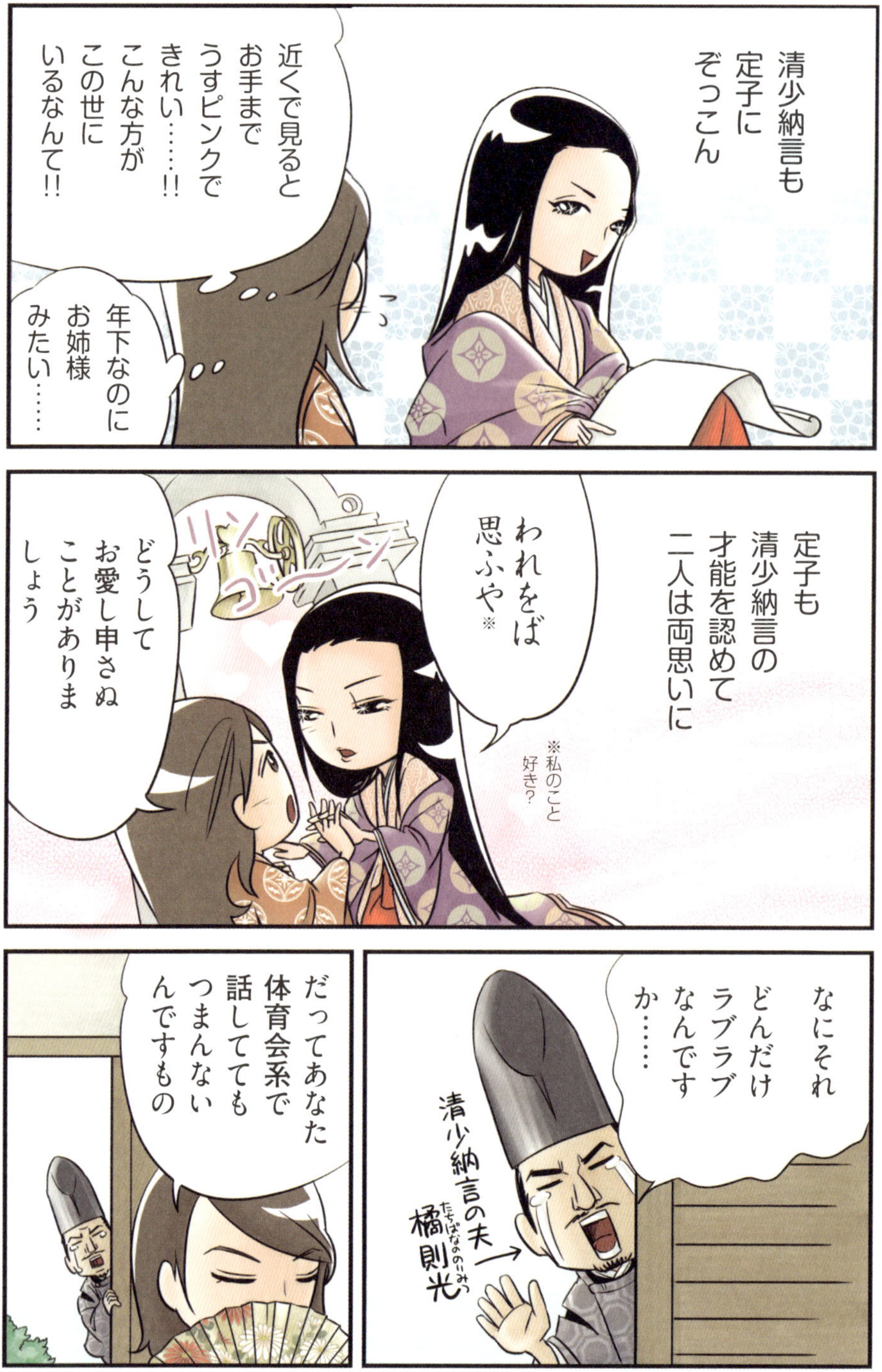
清少納言も定子にぞっこん
近くで見るとお手までうすピンクできれい……!!こんな方がこの世にいるなんて!!
年下なのにお姉様みたい……
定子も清少納言の才能を認めて二人は両思いに
リンゴーン
われをば思ふや※
※私のこと好き？
どうしてお愛し申さぬことがありましょう
なにそれどんだけラブラブなんですか……
清少納言の夫
橘則光《たちばなののりみつ》
だってあなた体育会系で話しててもつまんないんですもの

ややこしい
和歌とか
気のきいた
問答とか
苦手なんだよ
お前が
休暇を
取ってた時も
なあなあ
清少納言の
居場所
教えろよ～
あいつ
いないと
つまらん
←則光の
上司
しらを
切り通せる
気がしない
はっ
今
ワカメで
口が
いっぱいで
答えられ
ません
もっしゃ
もっしゃ
――って
ごまかした
ぐらいで
後日
ドンドン
も～
休みだって
いうのに
何？
則光様からの
お手紙を
お持ちしました

またあなたの居所を聞かれて困ってますごまかすのももうムリ言っていい?
ダメ
ワカメを食べるなりして黙ってて

という意味で海藻を送って返したところ

こないだの海藻小包、意味がわからなくてすごく参ったよ!! あれ何!?
もしかして誰か宛てと間違えた?
えええええぇ
通じなかったの? 自分のネタじゃん!!
しょうがないわね……
ハイ解説を和歌にしたわ
絶対言っちゃだめよという意味でめくばせしたのよ
※〝目くばせ〟と布《め》(海藻)食わせをかけている ※
わ、和歌!?
クイズの答えがまたクイズ!?

どこまでも
清々《すがすが》しい人
だったようです

※1 ～と、扇であおぎ返して逃げていった(七九段)

海野凪子の古典余話《よわ》

ハイソな宮廷生活をエンジョイ！——清少納言

清少納言は情報の少ない人物です。曾祖父の清原深養父《きよはらのふかやぶ》も父の元輔《もとすけ》も学者・歌人として有名な人ですが、清少納言については生没年も本名すらもわかりません（この時代の女性は貴族であってもほとんどそうですが）。夫とされている橘則光も、もしかしたら恋人の一人であったかもしれません。

そんな謎の人物・清少納言ですが、私は彼女の感性や物事の捉え方に共感するところが多々あります。

回想的な内容の段を読むと、清少納言は中宮定子に仕えることを最上の喜びとし、宮中での生活を大いに楽しんでいたように見受けられます。中宮定子はもちろんのこと、女房たちと機転のきいたやりとりをしたり、故事をひいて周囲の人たちを感心させたりすることは、清少納言にとって何より幸せなことだったのでしょう。

他の女房が唐詩の内容を踏まえてうまく受け答えしたのを「をかしかりしか（おもしろかった）」といって書きとめているところをみると、自分がほめられることだけでなく周りの人の知的レベルが高いことも喜んでいるように思います。

また清少納言は『宇津保物語《うつほ》』の登場人物・藤《ふじ》原仲忠《わらのなかただ》の大ファンで、「仲忠の子供時代をけなす人と、ホトトギスはウグイスより劣っていると言う人はにくらしい」と書いていて、物語の登場人物に肩入れする気持ちに時代は関係ないなと微笑《ほほえ》ましく思いました。当時、仲忠（とそのライバル涼《すずし》）については割と真剣にその良しあしが話し合われていたようで、清少納言は相当がんばって仲忠を擁護していたようです。

清少納言が中宮定子に仕えていたのは十年ほど（これも不明）のことですが、彼女にとってはなにものにもかえがたい、素晴らしい思い出だったことでしょう。中宮定子の不遇をまったく記していない『枕草子』ですが、清少納言はあとで読み返す自分の為に輝かしい記憶だけをとどめておきたいと思ったのではないでしょうか。

晩年の清少納言は、紫《むらさき》式部《しきぶ》が仕えていた中宮彰子《しょうし》にも仕えたのではという説がありますが、中宮定子との楽しすぎた思い出がある宮中へは、もう戻らなかったんじゃないかなと思っています。

人物関係図

清原深養父—春光《はるみつ》—元輔（梨壺の五人）
- 為成《ためなり》
- 致信《むねのぶ》
- 女子＝藤原理能《まさとう》（藤原道綱母《みちつなのはは》の兄弟）
- 清少納言＝橘則光

藤原道隆—藤原定子（清少納言の上司）＝一条天皇

『宇津保物語』……九八四年頃成立か。作者は未詳。主人公藤原仲忠とその一族が「琴」の秘伝によって繁栄していく物語。美女への求婚譚《たん》、政権争いなど宮廷生活の描き方は写実的である。「うつほ」とは、木の根もとの空洞のようになっているところで、貧しい生活を余儀なくされた仲忠が母とともにこもり、琴の伝授を受けた場所。

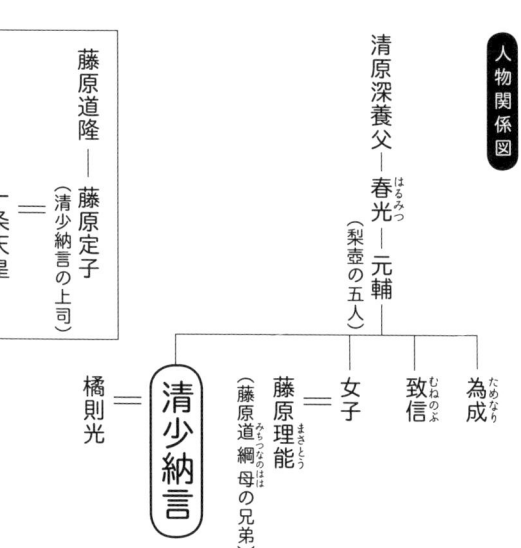

ただいま制作中

【外国人に日本文学を教えたら】

『今昔物語集』を下敷きに書かれた芥川龍之介の『羅生門』を教えていたら
先生!!
この話で老婆に髪を抜かれている女は「生前悪いことをしていた」とありますがどこが悪いですか?
中国人 学生
蛇を魚だと言って売っていたのが……
悪いことですか? どうして!?
蛇は美味しいです

【外国人に昔の髪型の話をしたら】

平安といえば日本中の女子が黒髪ストレートロングを目指した時代
清少納言はくせ毛で悩んでいたという噂
当時 美容院があったとしても「ミディアムロング」「ロング」「超《スーパー》ロング」三択か……
うちの田舎と一緒だ
フィジー出身
カットメニューが
小《スモール》
中《ミディアム》
大《ラージ》
みっつだけ
大・中・小!!
都会行けばもっと色々あるけどね
あみこみ
エクステ

【二章】

紫《むらさき》式《しき》部《ぶ》

『紫式部日記』より

【紫式部《むらさきしきぶ》】

（九七八〜一〇一五年頃）平安時代中期の女房。『源《げん》氏《じ》物語』の作者。一条天皇の中宮彰子《しょうし》に仕え、藤《ふじ》原《わら》道長《のみちなが》ほか殿上人《てんじょうびと》から重んじられた。

【紫式部日記《むらさきしきぶにっき》】

一〇一〇年頃の成立とされる。紫式部が彰子に仕えていた頃の日記。宮廷生活の記録だけでなく、人物批評、芸術上の諸問題についての文章がある。

【ぐるぐる悩む 紫式部《むらさきしきぶ》】

さあ この漢文を 読んで ごらん
父 藤原為時《ためとき》 漢学者
て、てん…… ち…… げ……?
兄弟惟規《のぶのり》
幼少の紫式部
困ったね……
天地玄黄《てんちはげんこう》 宇宙洪荒《うちゅうはこうこうなり》 ……
はっ
孤陋寡聞《ころうかぶんは》 愚蒙等誚《ぐもうとひとしくそしらる》 謂語助者《ごじょというものは》 焉哉乎也《えんさいこやなり》 でしょ?
スラ スラ
教えても いない のに!!
口惜しう 男子にて 持たらぬこそ さいはひなかりけれ※
ぎゅっ
ほめられた!! 私って 賢いんだ!!
でもね 男でも 漢文の知識を ハナにかけた 人は ちょっとねぇ
ましてや 女の子は……
女が賢いって よくない こと なんだ!!
がーん
紫式部の ぐるぐる人生の はじまりです

※息子でないのは不幸なことだ

当時の女性は「かな」が書ければ十分とされていた

結婚してからも
このジレンマは
続きます
この家
奥様が
頭良すぎて
旦那様に
プレッシャー
なんじゃ
ないの？
あー
だから
夫婦仲が
ねー
ガー
「賢くない妻」を
目指す努力も空しく
旦那
あっさり昇天
先行くわ
これから
どう
しよう
次の恋
趣味に走る
ポイ
恋
趣味
抑えていた
知識を
全力投入
して
『源氏物語』を
書きはじめた
ところ
参考文献は
漢籍13種
仏典6種
歌集41種
以上と
いわれる
ガリ
ガリ
口コミで
大ヒット
新刊
出た
わー
キャー
貸して
俺も
ワシも

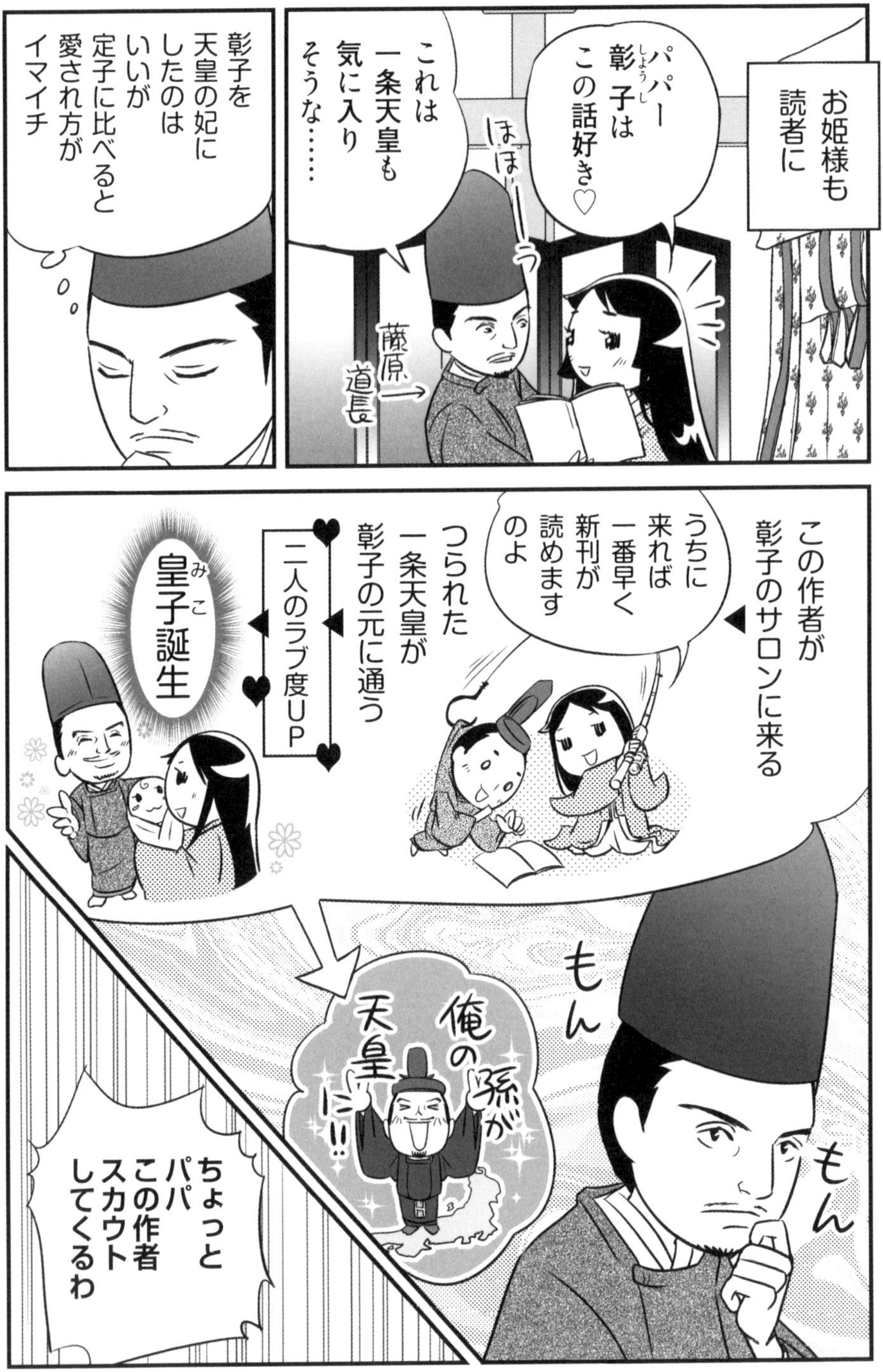

お姫様も読者に
パパー 彰子《しょうし》はこの話好き♡
ほほーう
これは一条天皇も気に入りそうな……
藤原道長
彰子を天皇の妃にしたのはいいが定子に比べると愛され方がイマイチ
この作者が彰子のサロンに来る
うちに来れば一番早く新刊が読めますのよ
つられた一条天皇が彰子の元に通う
二人のラブ度UP
皇子《みこ》誕生
もん
もん
俺の孫が天皇に!!
ちょっとパパこの作者スカウトしてくるわ

※作者は歴史書を学んでいるのだろう、本当に教養がある

こんな噂されて……みんな私を嫌ってるに違いないわ
ボケたふり作戦は失敗だったのかしら……
よしこれからは屏風の字も読めないふりをしよう
エスカレートするのかよ
作戦変更しようよ
なにかと考えすぎな人だったようで
——ではよろしく
宮仕えにも慣れて
仕事で男の人と話すのも平気になった
昔の友達はこんな私を恥知らずと思うだろうな
きっともう私のことなんかキライに……
良家の子女は夫以外の男性とは会わないのが普通
はっ
いけない人の事をこんな風に邪推するなんて

でもどうして手紙がこないのかな
やっぱり仕事してる女なんて主婦からしたらイヤなのかな
でもそんなこと思う人はこっちからお断りっていうか
ぐる
ぐる
そう思うと手紙も出せず友達も減るのです
日記
そりゃ減るわ
自己完結しすぎだろう
でもこの深読み体質だからこそあの名作が書けたともいえるね
そうね思ったことは口に出さず紙にぶつける人だったみたいだから
言えなかったろうことも日記には書いていておもしろい
その日記内で一番有名なのがこの〝清少納言評〟
清少納言こそ
したり顔でとんでもない人
賢ぶって漢字書きまくってるけどよく見たら足らないこと多いし

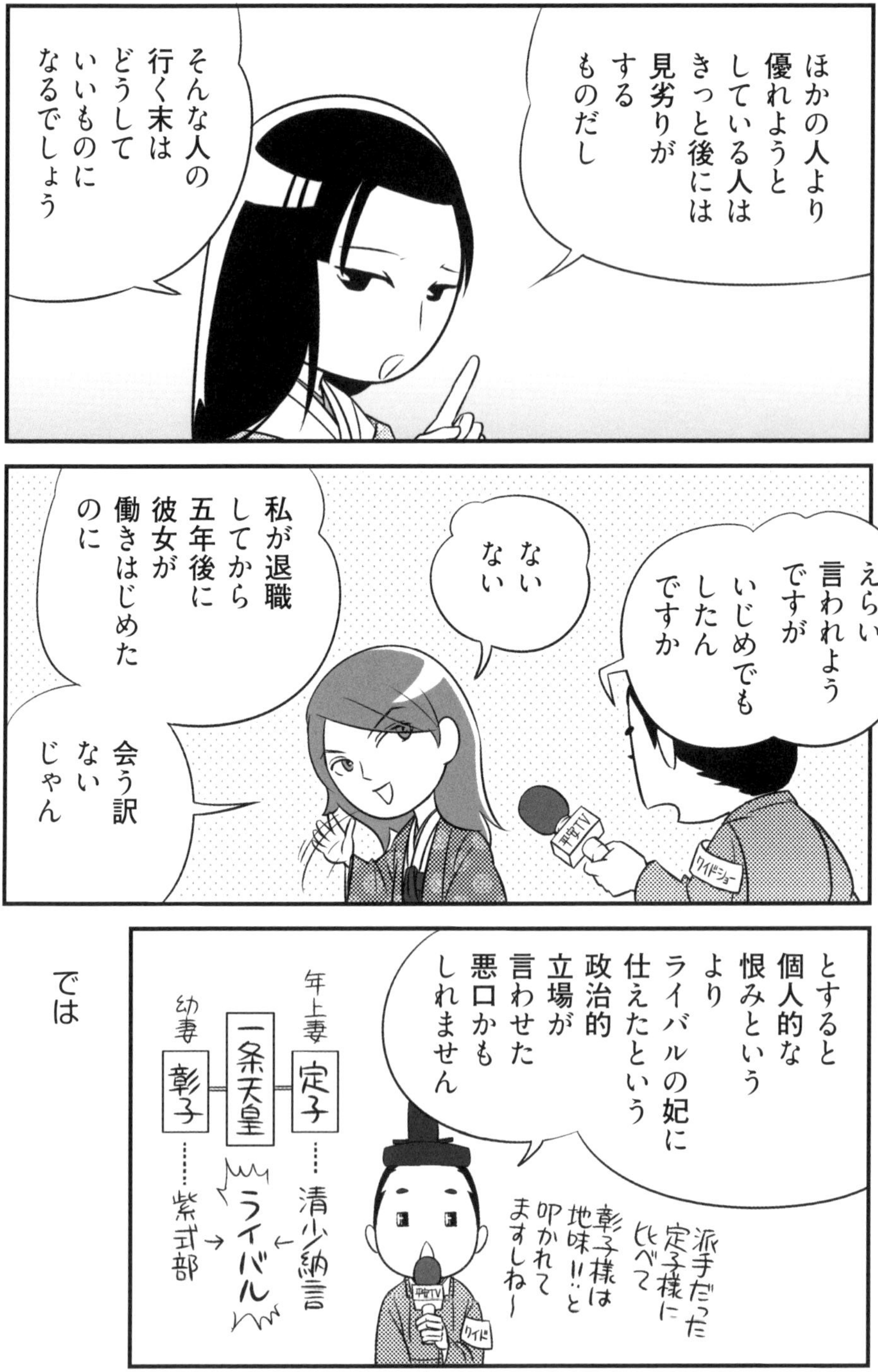
ほかの人より優れようとしている人はきっと後には見劣りがするものだし
そんな人の行く末はどうしていいものになるでしょう
えらい言われようですがいじめでもしたんですか
ないない
私が退職してから五年後に彼女が働きはじめたのに
会う訳ないじゃん
平安TV
ワイドショー
とすると個人的な恨みというよりライバルの妃に仕えたという政治的立場が言わせた悪口かもしれません
派手だった定子様に比べて彰子様は地味!!と叩かれてますしね〜
年上妻
定子
……清少納言
一条天皇
幼妻
彰子
……紫式部
ライバル
平安TV
ワイド
では

政治的な しがらみのない 場所でなら ふたりは 仲良くなれて いたでしょうか
あのね 周りの人に 受け入れて もらえるように “女らしく 何もわからない ふり”まで してね
彰子様とは うまく いったのだけど
in天国
今度は 身分が低いのに 重用されてるって いじめられて 同僚に 牛車《ぎっしゃ》の同乗を 拒否されたり 色々 辛《つら》かったの
なるほど……
でもさあ 女が賢くて 何が悪い訳？
バカには 好きなように 言わしとけ ば？
いじめだって 気にしなきゃ いいじゃん
アンタ 周りの評判 気にしすぎ
そ
そんな風に 思えたら こんな苦労は してない わ——ッ
あなたには わからないだろうけどっ
アレ？
やっぱり 無理かも しれません

天才だとは思います。でもコミュニケーション能力は？ ── 紫式部

実を言うと、私は平安時代の文学が好きではありませんでした。まだ根気と体力があった学生の頃に『源氏物語』を読んで、「幸せになっている人があまり出てこないし（と私は思うのですがどうでしょう）このしみじみした内省的な話は私には合わないな……」と感じ、平安女流文学の代表作ともいえる『源氏物語』のよさがわからないのだから、私は平安時代そのものに向いていないんだ！　と思い込んでいたのです。

ところが『紫式部日記』を読んで「ちょっとこれは違うぞ」と思いました。紫式部が書く「内省的」な部分は共感できないところも多いのですが、『紫式部日記』に登場する人々（紫式部本人も含めて）の描写がおもしろいのです。私の中で、それまでぺらぺらの二次元だった「人物」が、急に立体的な三次元の「人」になったような気がしました。

たとえば、女房仲間である弁《べん》の宰相《さいしょう》の君《きみ》（藤《ふじ》原《わら》道綱母《みちつなのはは》の孫。とても美人だった。紫式部談）が気持ちよさそうにうたたねしているところを、紫式部が「まあ、物語に出てくる女君みたい」と言って無理矢理起こしたエピソード（当然、弁の宰相の君は怒っています。私なら激怒します）。このときの弁の宰相の君の、怒りを抑えた表情と、それにまったく気づかず「うまいこと言った、私！」と風流がって喜んでいる紫式部の姿が目に浮かびます。

　また、藤原道長は『大鏡《おおかがみ》』を読むと「豪胆で策士で、摂政ともなる人はやはり普通の人とは違う！」という印象を持ちますが、『紫式部日記』には、待望の孫（自分の血をひく皇子）誕生に大喜びし、抱っこをしていて粗相《そそう》をされても喜んでいるという現代の「おじいちゃん」と変わらぬ姿が描かれています。

　千年以上経《た》っても「人」は同じなんだと思うと、歴史上の人物も身近に思えてくるから不思議です。そして改めて、紫式部は卓越した観察力、描写力を持った作家なのだなと思うのです。

家系図

藤原為時
- 惟規
- 紫式部 ＝ 藤原宣孝《のぶたか》
  - 大弐三位《だいにのさんみ》（賢子《けんし》）…後冷泉《ごれいぜい》天皇の乳母

人物関係図

藤原道長
- 彰子（一条天皇中宮）

彰子に仕える女房
- 紫式部
- 和泉《いずみ》式部（歌人。『和泉式部日記』作者）
- 赤染衛門《あかぞめえもん》（歌人。『栄花《えいが》物語』作者？）
- 弁の宰相の君（『蜻蛉《かげろう》日記』作者藤原道綱母の孫）

『源氏物語』……平安時代中期一〇〇八年頃までには成立と推定される。五十四帖（巻）からなる長編小説。宮廷・貴族社会における男女の恋情を中心として、複雑な人間関係や人の心の動きを写実的に描写している。

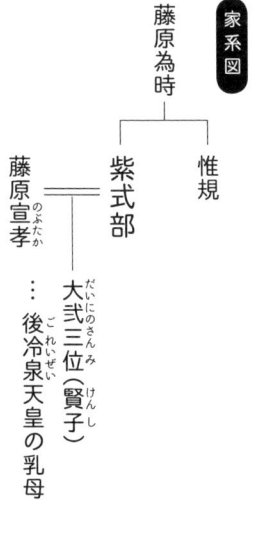

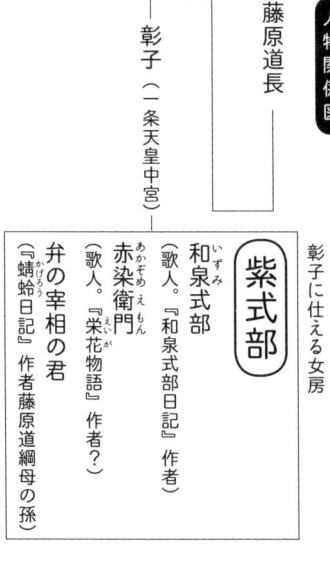

ただいま制作中

【この本を書く前のレベル】

『源氏物語』についても
すみません うろおぼえです
あ 若紫の「雀の子を犬君《いぬき》が逃がしつる伏籠の内にこめたりつるものを」ってとこは覚えてる
犬に君《くん》づけかわいいなって
「犬君《いぬき》」は人だから
若紫の友だち
えええ

【外国人にも聞いてみた】

『源氏物語』についてですか？
日本人ほど詳しくないと思いますが……
イギリス人ジャックさん
じゃ作者は？
とても難しい問題です
定説では紫式部ですが異説もあります 特に宇治十帖は文法の違いもあって娘が書き足したのでは？ など……
すみません答えられません
なんという詳しい答え

涙目

【三章】

藤《ふじ》原《わらの》道《みち》長《なが》

『御堂関白記』より

【藤原道長《ふじわらのみちなが》】

（九六六〜一〇二七年）平安時代中期の廷臣。娘彰子を一条天皇中宮、妍子《けんし》を三条《さんじょう》天皇中宮、威子《いし》を後一条《ごいちじょう》天皇中宮にし、外戚として栄華を極める。若い頃から大物らしい豪胆な逸話が多く残る。

【御堂関白記《みどうかんぱくき》】

道長自筆の日記。九九五〜一〇二一年までの公私の生活が記されている。自筆本が現存する世界最古の日記。

【男の夢コンプリート　藤《ふじ》原《わらの》道《みち》長《なが》】

この世の栄華を
極めた男
藤原道長

ワシが
光源氏の
モデル
という
噂も
あってな
ふっ

実際ワシを
意識して
書いた
んだろ？
ん？
紫式部
ちゃん

なんで
目を
そらすの!!

いいもん
ワシ
光源氏より
出世したし
男の夢
全コンプリート
したし

平安時代の
男の夢
とは

①公家のトップになる
1位
②娘を天皇の后にする
どぞ
③娘が男の子を生む
④その子をさっさと天皇にする
はい譲って譲って!!
⑤後見人になる
でもまだ小さいから俺が代わりに政治やります!!
これ全部叶えんの結構大変なんだよね
特にワシは三男※だったから①がまず大変だった

※異母兄弟ふくめるともっといた

当時の出世レースは親の地位と出生順でスタート位置が違うハンデ戦でした
その不利な条件の中道長がどう栄冠を勝ち取ったかレース風にお届けします
まずは出走者紹介です
平安TV
実況
一番いい位置からスタートするのは今をときめく藤原兼家《かねいえ》の長男道隆《みちたか》
「病気する姿も美しい」と歴史に残る色男!!
キャー
キャー
その後ろに次男道兼《みちかね》
特徴はヒゲが濃い!!
なにその紹介
末っ子道長は後方からのスタートです
そのさらに後方に他の公家の皆さん
父親の兼家さんは三男道長に可能性はあると思われますか？
そうだねぇ……
以前友人の優秀な息子さんとうちの息子達を比べて
平安TV

「正直お前達では影も踏めないだろう」
と嘆いたら
しーーん
ピキ
影をば踏まで面《つら》をや踏まぬ※
ゴゴゴゴ
道長だけが言い返したと
度胸は一番
日記書かせたら誤字脱字が多いのも道長だけど
「崩給《ほうじたまふ》」を「萌給《もえたまふ》」と書いたり
萌えてどーすんだ
細かいことを気にしないおおらかさも魅力かな
平安TV
実況
その素質でもって道長が逆転なるか？
レーススタートです
ドン
最初にトップに立ったのは長男道隆!!

※影など踏まず面踏んでやる

さっそく公家の一位をゲットだ!!
ガッ
1位
その勢いで娘を天皇の后にするのも成功!!
定子ですよろしく
一条天皇と我が娘はラブラブだし皇子が生まれるのも時間のもんだ……
1位
ああっと道隆祝い酒の飲みすぎか体調不良だ!!
病気の間はこれを息子の伊周《これちか》に……
1位
皇子誕生をまたずに道隆病死
ばた
1位
スッ
1位

しかーし!!
次を獲ったのは
息子ではなく
弟の道兼!!
ニヤ
1位
あ――
てめぇ!!
それ俺の!!
伊周
兄さんは
「病気の間
伊周に」と
言ったんで
「死んだ後も」
とは
言ってない
1位
ふふ～ん♪
しかし
たった十日で
道兼死亡
疫病に
やられた
……
ポロッ
1位
今度こそ
俺のだ
――ッ
1位
これは
同時!!
どちらが
ふさわしいか
天皇判定に
なるようです
……ど、
どうしよう
ガルルルルルル

伊周は大好きな妻（定子）の兄だし
道長は大切な母（詮子《せんし》）の弟だし
母は道長が好き
MICHINAGA♡
本当にどうしたら……
道長道長道長道長
MICHINAGA♡
母が怖いので道長にします
よっしゃあああ
MICHINAGA
勝ったのは道長!! 大穴道長です!!
1位
CONGRATULATION!!
ところでアピールポイントだった「度胸」と「細かいことを気にしないおおらかさ」ってどこで役に立ったんでしょう？
これほぼ運じゃ
1位
細かいことは気にするな

その後
孫を何人も天皇にして
藤原家を盤石《ばんじゃく》に
平等院は道長の別荘が元
この世をば我が世とぞ思ふ望月の欠けたることもなしと思へば※
その威光は五百年以上も残りました
おかげでワシ関白になる時藤原秀吉に改名したっちゅーの
関白になれるのは藤原だけとか言われてさー
豊臣秀吉
ちょっとまった!!
この歌って有名なの？
あれは作った時酔っぱらってた!! 忘れて!!
てか記録に残さなかったのになんでー!?
仲の悪かった部下藤原実資《さねすけ》が日記に書いたから
今日道長がこんな歌作ってみんなで唱和した
正直ドン引き

※この世は自分の為にあり、満月も欠けることはない

海野凪子の古典余話《よわ》

運も実力のうち —— 藤原道長

道長の資料を読んでいると、つくづく「女運のいい人だなぁ」と思います。ただし、「女運がいい＝モテる」という意味ではありません（モテたかもしれませんけど）。

まず一人目の女性サポーターは道長の妻・倫子《りんし》の母である穆子《ぼくし》です。当時左大臣だった倫子の父・源《みなもとの》雅信《まさのぶ》は、倫子を天皇の后《きさき》にしようと考えていましたが、穆子は道長をイチ押しで「娘の婿は道長！」とさっさと結婚を決めてしまいます（奥さん強いですね）。

大貴族の息子ではあるけれど、長男ではない道長を「将来性あり」と見抜いた穆子は、左大臣の雅信よりも見る目があったんですね。それとも「女の勘」だったのでしょうか。

さて二人目は道長の姉・詮子です。出世レースのとき、天皇の母という立場から道長の援護をしました。

「藤原家」ということでいえば伊周が実権を握ってもよかったのではないかと思いますが、詮子も道長押しです。

一条天皇の寝所《しんじょ》にまで押し掛けて訴えていますから相当なものです。

道長の伯母《おば》である安子《あんし》（村上天皇中宮）が「関白は兄弟順に」と遺言を残していたことも関係が

あるかもしれませんが、やはり詮子が「道長びいき」でなければ道長の出世はなかったでしょう。

そして三人目と四人目は、道長の妻・倫子と明《めい》子《し》です。

彼女達は道長の子供、特に将来の天皇の后となる「娘」を生むということで道長をサポートします。

この時代は「娘」の存在はとても重要です。天皇の后になれなくても、出世しそうな婿が来てくれることは「お家の繁栄」には大切なことです。特に道長にとっては、将来天皇の母となるであろう「娘」は多ければ多いほどよかったに違いありません。そしてその「娘」達も、道長の期待に応えました。

これだけうまくいけば、ちょっとくらい天狗になっても仕方ないかもしれません。ですが、詮子のお葬式の時には遺骨を首にかけて弔《とむら》ったということですから、受けた恩には報いる誠実な人でもあったのでしょうか。

『大鏡』では豪胆に、『紫式部日記』ではちょっと強引な感じに描かれている道長ですが、繊細なところもあった「気遣いのできる人」だったのかな、と思います。

女性はそういう人に弱いですからね！

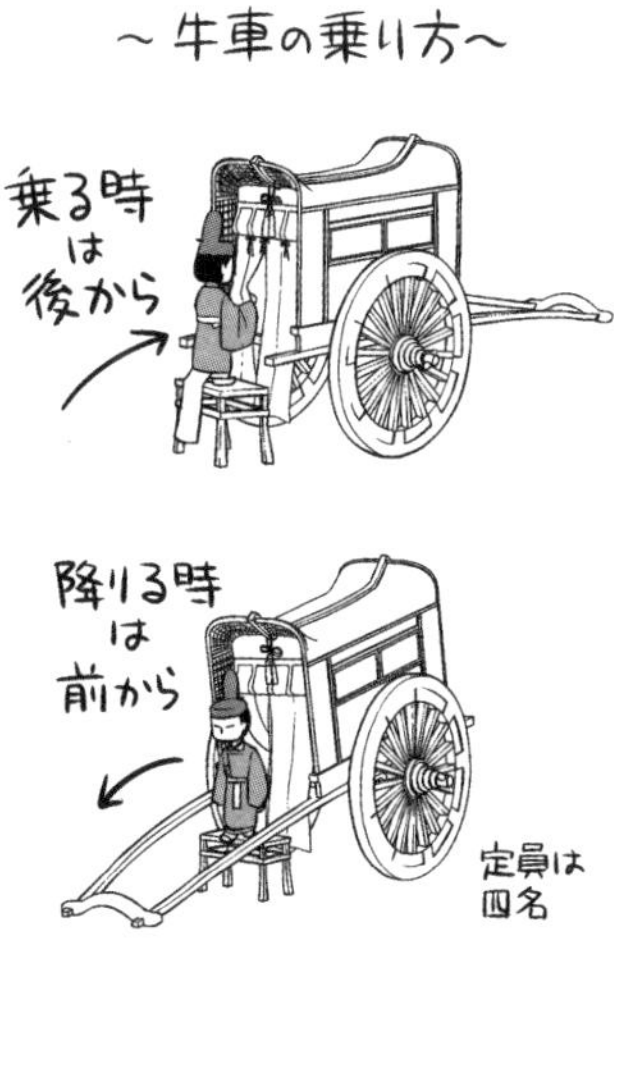

～牛車の乗り方～
乗る時は後から
降りる時は前から
定員は四名

家系図

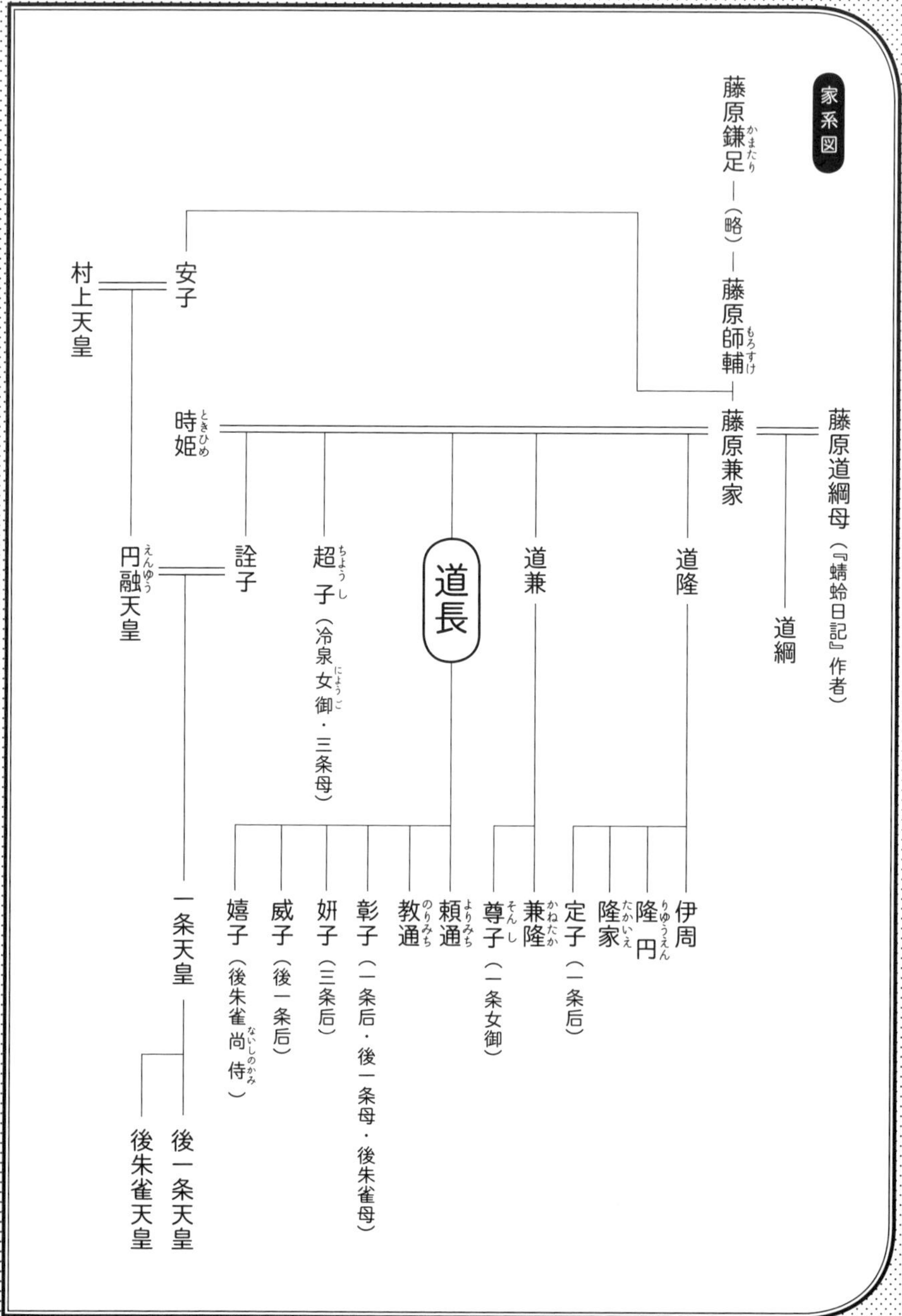
藤原鎌足《かまたり》―（略）―藤原師輔《もろすけ》
藤原道綱母（『蜻蛉日記』作者）
道綱
藤原兼家
時姫《ときひめ》
安子
村上天皇
道隆
伊周
隆円《りゅうえん》
隆家《たかいえ》
定子（一条后）
道兼
兼隆《かねたか》
尊子《そんし》（一条女御）
道長
頼通《よりみち》
教通《のりみち》
彰子（一条后・後一条母・後朱雀母）
妍子（三条后）
威子（後一条后）
嬉子（後朱雀尚侍《ないしのかみ》）
超子《ちょうし》（冷泉女御《にょうご》・三条母）
詮子
円融《えんゆう》天皇
一条天皇
後一条天皇
後朱雀天皇

ただいま制作中

【発見】

『御堂関白記』に「爲奇爲奇妙※」って同じことが2回書いてある所を見つけたの
私も『小右記』にすごく珍しいことを指して「希有《けう》希有《けう》也」ってあるのを見つけた
「大事なことなので二度言いました」って昔からあったんだね……
ネットのはやりことば

※不審に思った不審に思った

【成功したのに】

紫式部は二千円札になってるのにワシはなんもないわけ？
ちょっとまってて探してみる
あった!! あったよ!!
糖尿病の記念切手に肖像が
ゴス
糖尿病で悪かったな

道長は糖尿病に悩まされたと言われています

そんな鳥だったなんて

古典によく登場する鳥
ホトトギス
男前でびっくりした…
こんな鳥かと思っていた

杜鵑・時鳥・子規・不如帰・杜宇・蜀魂・田鵑……全てホトトギスと読む。異名も非常に多い(卯月鳥・早苗鳥・あやめ鳥・橘鳥・時つ鳥・いもせ鳥・たま迎え鳥・しでの田長など)。古典によくわからない鳥が出てきたら、とりあえず「ホトトギス」だと思っておけ、とさえいわれる人気者である。

【四章】安《あ》倍《べの》晴《せい》明《めい》

『大鏡』より

【安倍晴明《あべのせいめい》】
（九二一～一〇〇五年）
平安時代中期の陰陽《おんみょう》師《じ》。式神を使い、あらゆることを未然に知ったといわれる。

【大鏡《おおかがみ》】
一一一五年頃成立とされる（諸説あり）。作者は未詳。文徳《もんとく》天皇から後一条天皇まで十四代一七六年間の歴史を記し、特に藤原道長を中心とする藤原氏の摂関時代について論評したもの。

【伝説になった高給公務員 安倍晴明《あべのせいめい》】

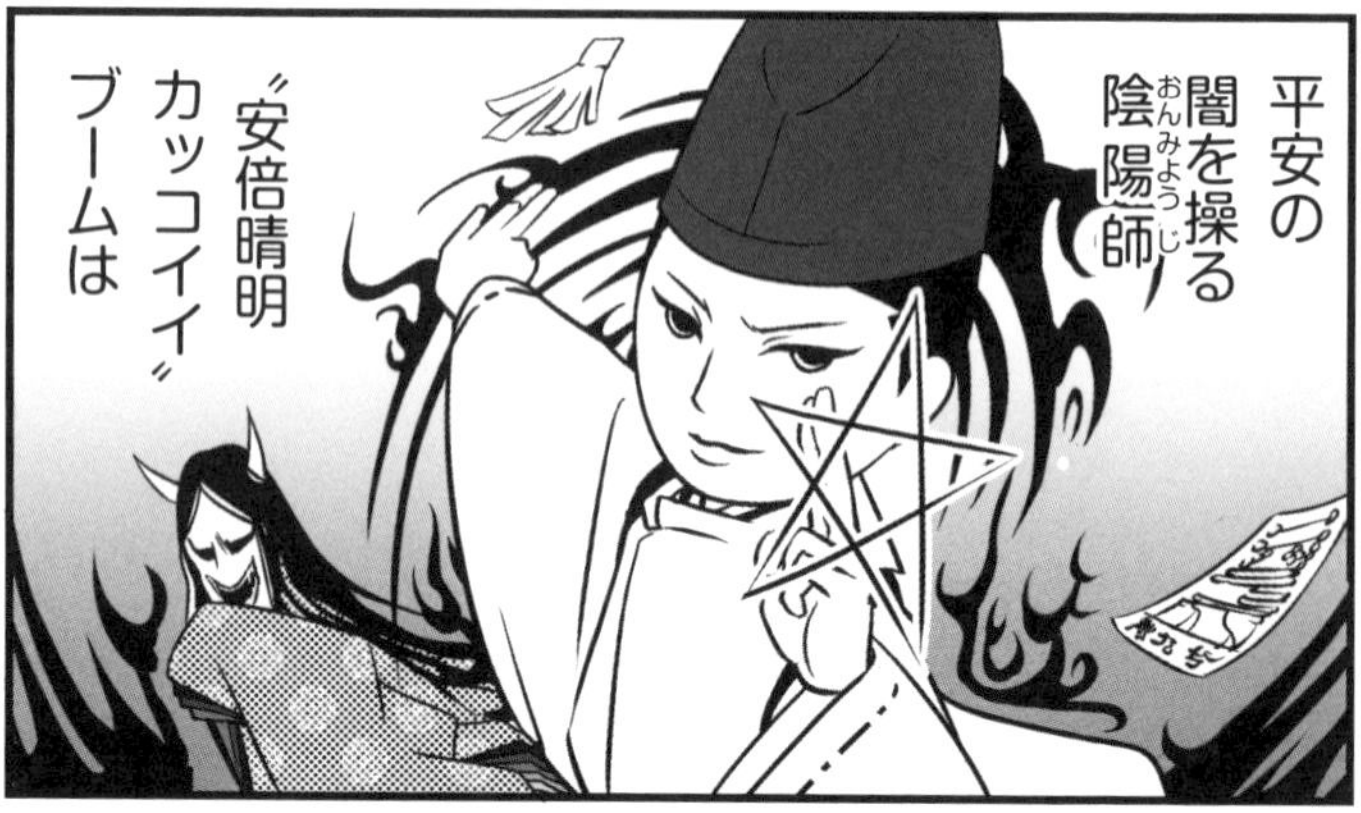
平安の闇を操る陰陽師《おんみょうじ》
"安倍晴明カッコイイ"ブームは

今にはじまったことではなく平安後期からも何度もあったものです

大昔のブームの立役者は

古文書『簠簋抄《ほきしょう》』の晴明伝説

遣唐使吉備真備《きびのまきび》が唐で幽閉された時のこと
皇帝が出した難問が解ければ出してやるぜ
ここ、鬼が出るからその前に祟《たた》りで死ぬと思うけど!!
かぐや姫に出てくる「火鼠の皮」をもって帰ったとされる人

しかし当の鬼(霊)と仲良くなり
俺、日本人で安倍っていうんだ助けてやるよ
協力して難問を解決
ふよ
ふよ

余《よ》は感服じゃ!!
ほうびにお宝と秘伝書を取らせよう

無事帰国したのち世話になった鬼の子孫をたずねます
お礼にこの秘伝書を
こんなのむずかしくて読めないぞ……
父上 私が読みましょう
この天才こそ誰あろう
狐の化身を母に持ち
小蛇を助けたら竜宮城の乙姫《おとひめ》の化身だったという大当りを引き
お礼に鳥の言葉がわかるようになる薬をあげます
天皇の病の理由はコレコレだよ
そのアイテムを生かして天皇を救った
安倍晴明その人なのです
既に盛り沢山ですがまだ続きます

その後は ライバル道満《どうまん》と 透視対決
中身は ミカンだ
ネズミ
中はミカン だから 晴明様が 負けてしまう
ハラハラ
答えを用意したん
いいから 早く 開けなさい
ネズミ⁉ 晴明さては 法力で ミカンを ネズミに 変えたな⁉
ふーーん
さらに ラスボス戦
帝《みかど》のご病気は その妖狐の せいです‼
あんた だって 狐の子 じゃん‼
キシャアァァ
最後は 身内の 裏切りで 一回死ぬも 復活
ばかな‼ 殺した筈《はず》‼
ゴゴ ゴゴ
映画が 二、三本作れそうな 盛り込みっぷり だなぁ……
昔の人も そう思った らしく
歌舞伎や 浄瑠璃の 元ネタに なってます
歌舞伎「蘆屋道満大内鑑」より 葛の葉（晴明の母）

ひるがえって
実際の晴明は
国家機関
「陰陽寮《おんみょうりょう》」に勤める
公務員でした
主な仕事は天体観測したり時報出したり
カレンダー作って吉日を決めたり
自然現象は個人の運勢とも連動しているという考えを元に占いをしたりです
陰陽道は当時最先端の科学だったのです
人を呪うのが仕事ではありません
当時は「怪異」が起きると陰陽師に対処を聞くのが普通のことでした
これがけっこう何でも「怪異」なんで忙しいんです
花山《かざん》天皇に呼び出された時も

ハトが役所に入りこんで机の前にいたんだけどどういう意味かな
……たいした意味ないと思います
ハトかよ
天皇の相談に乗るような公務員陰陽師は超エリートで
中でも出世した晴明の推定年収は
二億から四億円
従四位時の位禄三六一石《こく》を一般年収の三十～五十倍と計算
でもあくまで公務員ですから人事異動もあります
天文学で培《つちか》った計算能力を生かして主計寮《かずえりょう》で税金担当官だったことも
まあ主計寮も収入は悪くないんですが
ふっ

天皇交代時のリストラの嵐を耐え抜き
要職についた晴明
同時代の人の印象はというと
晴明？一条天皇の病気を当てた人でしょ？
実資
雨ごい成功もすごかったね
遷都の儀最後シメたのあいつだろ
皇室の霊剣に魂を入れたのも晴明ってウワサ聞いた
道長
行成
允亮
それぞれの日記に書いてある
なるほど有能な人物であったようです
の、わりに出世は遅いですよね
天文博士になるのが50歳頃
当時の陰陽寮は賀茂家《かもけ》が有力でしたから他氏は不利だったんですよ
でも私の後は賀茂家と安倍家で二分するようになりました

そして時代は室町
神道ブームに対抗して俺は陰陽道をプッシュしたいと思うのよね
ユー“土御門家《つちみかどけ》”として陰陽師を支配しちゃいなよ
安倍家大出世
3代将軍足利義満
安倍有世
土御門家ってスゴイんだよつまり開祖の晴明は超スゴイ
式神使ったり人の寿命いじったりマジ人外
へー
カッケー
晴明も伝説の中で勝手に出世
超人伝説が強化されていったもようです
晴明のいた陰陽寮は明治になって廃止されるまで
実に千年もの間公的機関として存在しました

平成の世では陰陽道は影をひそめてしまいましたが
なごりは沢山みつかります
例えば「節分」平安にもあった鬼祓《はら》いの儀式が元です
陰陽道自体が混成思想なのではっきり「由来」とは言いにくいですが
初詣《はつもうで》も
江戸時代は陰陽道が示す〝今年の恵方《えほう》〟にある神社に行っていたものです
厄年も考え方は陰陽道
意外と今も生活に生きていて驚きます
でも一番の驚きは
この人が八十五歳まで
生きた
ことかもしれません
やっぱり狐か何かじゃ

海野凪子の古典余話《よわ》

稀代の陰陽師……だったのでしょうか――安倍晴明

平安文学が苦手と言いましたが、実は大学の卒業論文のテーマを『大鏡』にしようかなと思ったことがあります。

理由は高校生の頃に参考書で読んだ、『大鏡』「花山天皇の出家」の場面で出てきた安倍晴明。「花山天皇（院）」の段で、安倍晴明は天皇の出家を「天の動き」で知り、目に見えない召使いのようなもの、式神を操ります。

その姿の描かれ方はとても神秘的で、退屈だなと思っていた古文の勉強が、オカルトっぽい不思議話になりました。「こんな人本当にいたの?」と興味がわき、次々に安倍晴明が出てくる古典資料（主に晴明が不思議な力を発揮した話）を読みあさりました。

結局卒論のテーマは別のものにしたので、安倍晴明については「人間離れした超能力を持つ陰陽師」というイメージだけが強く残っていたのですが、今回改めて資料を読んでみて、学生の頃には気づかなかった「実在の人物としての安倍晴明」を知ることができました。

『御堂関白記』には「雨ごいの儀式をして成功した」「彰子の立后《りゅうごう》の日時を選んだ」「自宅で仏像を造ろうとしていた道長に凶日だと知らせた」といった陰陽師としての晴明の働きが何度か出てき

て、想像していた通りの姿なのでちょっと嬉しかったのですが、研究書などを読むと「介《すけ》」という国司の次官（現地には行かない名目的な国司）にもなっていたというので驚きました。

ずっと「陰陽師・安倍晴明」だと思い込んでいたので、この現実的な官職には（国司といえば典型的な「官僚」のイメージなのです）、「ああ、安倍晴明って本当にいたんだ」と気づかされるのと同時に、晴明の「不思議な能力」はやはり後世に作られたものなんだなあとも思い、がっかりしたのでした。

それでも、時の権力者・藤原道長が大いに頼りにし、ほかにも陰陽師はいたはずなのに千年後にも「超人」として語り継がれている安倍晴明には、何か特別なものがあると思っています。

家系図

阿倍仲麻呂《なかまろ》（？）— 安倍晴明

安倍晴明 — 安倍吉平《よしひら》

安倍晴明 — 安倍吉昌《よしまさ》

（晴明が仕えた人々）

花山天皇
藤原道長
一条天皇

ただいま制作中

【気になるお年頃】

友人のアメリカ人アダム君
一時期よくないことが続きまして……
そのころ僕25歳だったんですけど
やっぱり厄年とか関係ありますかね
厄年って言ったよこのアメリカ人
とってもマジメ↓

【広まれば定説】

“晴明”を「せいめい」と読むのは「偉い人の名は音読みにする」という後世の伝統によるもので
実際は
はるあきらさま!!
と呼ばれていた可能性が高いです
文献によっては「清明」って書いてあるのもあるし……あ
室町時代に「晴明☆」って表記があるって!!
これを広めよう!! “つのだ☆ひろ”のように!!
ゆら…
おこってるおこってる

まだまだある！晴明伝説

『簠簋抄』以外にも、晴明伝説は多く伝わっています。説話であり、史実のままではありませんが、事実に基づいた話はまったくない、とも断言できないのが古典のおもしろいところです。

○『**今昔物語集**』
幼い頃から鬼を見ることができ、その能力で師匠の賀茂忠行を百鬼夜行から救った。

名僧の病を占い、寿命が尽きているが身代わりになる者がいたら助かると答えた。弟子が自ら命を差し出すことになり、晴明が儀式を行うが、感じ入った冥府の王により両者の命が助かった。

○『**源平盛衰記**』
十二神将を式神として自由に扱ったが、家人が怖がるので一条戻り橋の下に置き、必要なときに召喚して使った。

○『**宇治拾遺物語**』
藤原道長が愛犬に道行きを止められ、晴明に占わせたところ、行き先に呪物が見つかった。晴明は懐紙を白鷺に変えて飛ばし、呪詛した陰陽師を見つけだした。

○『**北条九代記**』
座興の場で天皇に「なにかおもしろいことをせよ」と言われて、算術の道具を取り出した。それだけで人は何故か笑いころげ、晴明が道具をしまうとぴたりと笑いが収まった。

○『**古事談**』
熊野の那智山に千日こもり、滝修行により他人と自分の前世が見えるようになった。

おまけマンガ

（陰陽師の忠告通り鬼が出た話）

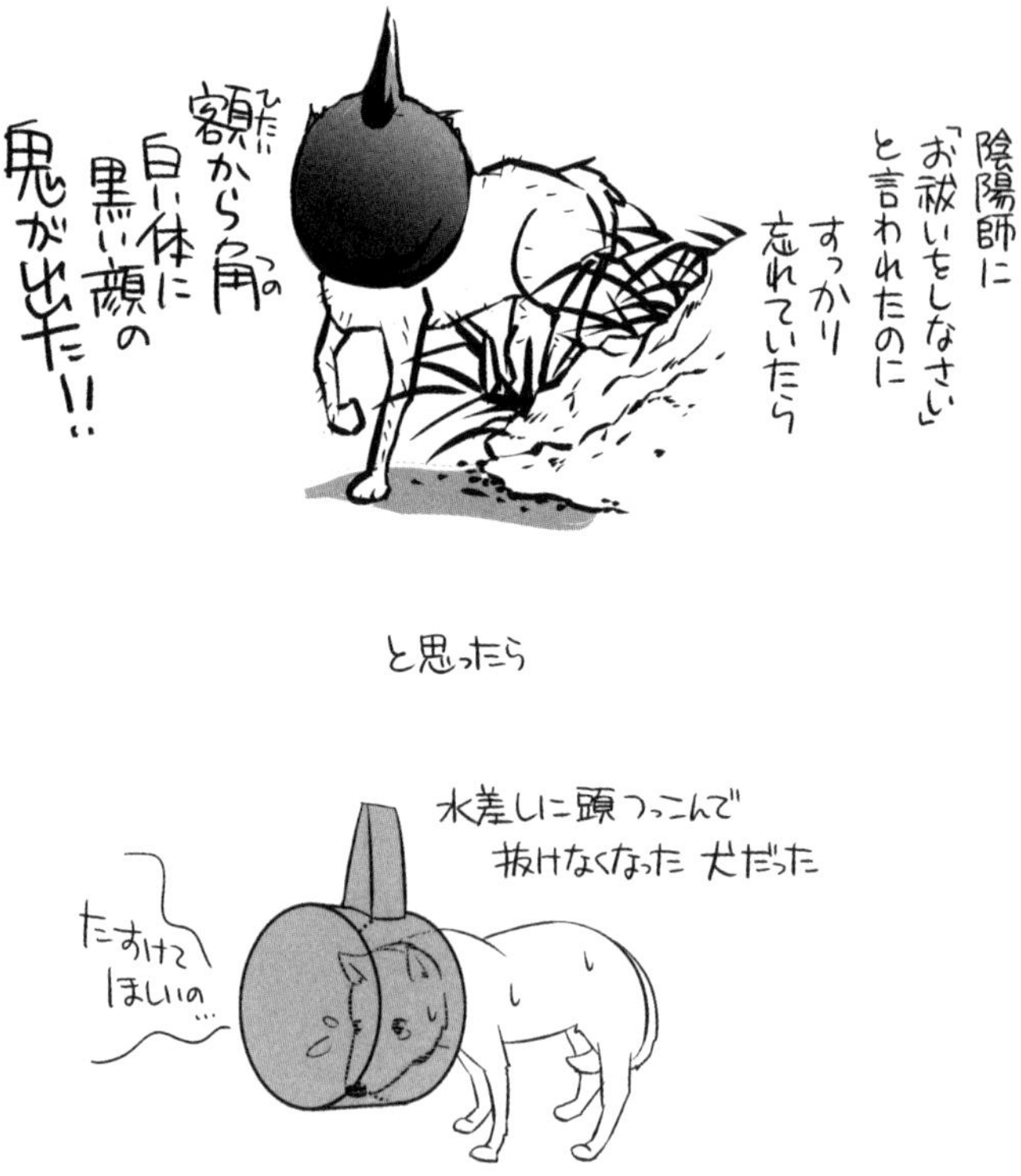
陰陽師に「お祓いをしなさい」と言われたのにすっかり忘れていたら
額《ひたい》から角《つ》の白い体に黒い顔の鬼が出た!!
と思ったら
水差しに頭つっこんで抜けなくなった犬だった
たすけてほしいの…

<今昔物語集より>

【五章】

源《みなもとの》頼《らい》光《こう》

『今昔物語集』より

【源《みなもとの》頼《らい》光《こう》】（よりみつ）
（九四八～一〇二一年頃）平安時代中期の武将。摂《せっ》津《つ》などの受領《ずりょう》を歴任。勇猛な伝説が多く残る。

【今昔物語集《こんじゃくものがたりしゅう》】
一一二〇年以降の成立とされる。編者は未詳。天竺《てんじく》（インド）・震旦《しんたん》（中国）・本朝《ほんちょう》（日本）の千余に及ぶ説話を収めた日本最大の説話集。説話とは、人から人へと語り継がれる世の中の珍しい話。

【イケメン戦隊の司令官 源《みなもとの》 頼光《らいこう》《よりみつ》】

源頼光は
〝皆見目も
鑭々《きらきら》しく
魂太く
愚かなる事
なかりけり〟※1
と伝わる
イケメン部下を
従えた
平安の
モンスター・ハンター
部下の
僕達は
人呼んで
頼光四天王
!!
千年前の
カラーレンジャーと
覚えて下さい!!
そのひとりは
育った
金太郎
金
〝レッド〟役は
渡辺綱《わたなべのつな》
先祖は
光源氏の
モデル
源融《みなもとのとおる》
※2
頼光様の
危機には
一番に
かけつけます

※1 見目もよく、剛胆で難のつけどころがなかった

一人《ピン》での活躍
「VS《バーサス》!!
茨木童子《いばらきどうじ》」は
こんな話

※2 道長とは別に根強くモデル説のある美形貴族

夜中に美女に出会った渡辺綱
私の家は都の外なのです……送って下さいますか？
いいですよ
外というのはなあ……
鬼の住む山のことだよ!!
我が名は茨木童子!!
ワハハハハ
バッサ
バッサ
綱→
――って飛ばれたんでお借りしてた名刀で腕切ってやったんですがコレどうしましょう？
晴明どう思う？
七日間祈禱してこもってなさい
その高さから落ちて無事なのもスゴイね
しかしこもって六日目
ドーン
開けて下さい……養母《はは》ですよ

情に負けて入れたところ
ああ……会いたかった……
会いたかったぜ我が腕に!!
ワハハハ
返してもろたぞ!!
あっ
この腕を切った名刀は以後「鬼切」と呼ばれ……
そんなことより騙《だま》されすぎ
一話に二回は多いだろ
女・子供に騙されないどころか
妖怪から赤子を拉致したエピソードをもつのが
〝ブルー〟担当卜部《うらべ》季武《すえたけ》弓の名手です
女と見まごう美青年
江戸時代の二次創作がこの噂を定着させた

拉致とは失礼な……妖怪が赤子を抱け抱け言うから連れて帰っただけなのに
本来、気味悪くて誰も抱かないって設定なんだよ平気で抱いた上返さないとか想定外で妖怪涙目だったらしいじゃん

その赤子は木の葉になったそうな

そして〝イエロー〟はご存じ
〝金太郎〟こと坂田《さかたの》金時《きんとき》です
大人になってからは裸エプロンじゃないよ!!

ぼくをスカウトしたのが〝グリーン〟こと碓井《うすい》貞光《さだみつ》
力は誇示しないけど売られたケンカは買う武士かたぎのいい男!!

でもなぜか存在感が薄いよ!!

ケンカ売ってんのか

勇猛な彼らですが皆でお祭見物に行った時のこと

ちなみにピンクはいません

慣れない牛車に乗って車酔い
女車《おんなぐるま》を借りていたせいで
ぬおおぉ～
馬に乗りゃよかった…
おえぇぇ
どんなお姫様が乗ってるんだよ
――と周りの人にいぶかしがられたという話※も
残っていてご愛敬
おまたせしました
こんな我ら平安レンジャーを統率するのが軍事担当貴族の源頼光!!
大金持ち!!
私と四天王の話はほとんど伝説レベルですが
そこは史実です
ワシの家が火事になった時一軒分の家具プレゼントしてくれたの平安中の話題になったよね
造作もないことです
道長
司令官的エピソードは
狐を射ろと言われて

※『今昔物語集』より（ちなみに綱はこのときいません）

もう長い間 狩りも していないし…… ムリですよ
と言いつつ 当てる
ビシィ
リアリティのある ものから
土蜘蛛《つちぐも》退治や
酒呑童子《しゅてんどうじ》と 呼ばれる鬼退治 など 特撮ヒーロー的な ものまで色々
この 鬼退治話が なかなかにして 突っ込み所 満載
鬼の居城に 向かう途中 頼光たちは 神様に会って 助けられるのですが
そのヘルプが 非常に具体的
鬼の所までの 道案内は まかせて下さい
そして この酒で 鬼を酔わせて
鬼が寝たら 手足を 縛っといて あげますから
あとは あなたが
かつ 中途半端
そこまで やるなら 神サマ 自分で やれよ
変装のために山伏に扮した頼光たち→

無事
辿《たど》りついた
頼光たち
人間を食べる
などして
鬼と仲良く
なることに
成功
二の段階で
頼光も
十分に鬼
途中で鬼に
疑われるも
はて……
都で話題の
頼光一味に
似ている気が……
そこにいるのは
部下の茨木の腕を
切った綱では？
他人の
空似でしょう
お疑いなら
殺せば
いい
ふっ
ハッタリで
乗り切る
どうも
失礼なことを
言った
イヤ
イヤ
実際に
二回も会ってる
茨木まで
騙されるのは
どうなのか？
顔覚えるの
苦手なの？

そして
首尾よく
うちはたすも
偽《いつは》りなしと
聞きつるに
鬼神に
横道なき
ものを※
ぶっちゃけ
お前ら
鬼よりひどい!!
と言われる始末

どんな手を
使ってでも
任務を遂行
させた頼光

※偽りないと聞いていたのに……自分たち鬼神はウソは言わない

それは優秀な司令官といえるのかもしれません
正式には軍事的な功績はほとんど残っていない頼光&四天王ですが
目立った軍事記録がない
平和だった
なぜ平和だったのか
それは彼らが陰で都を守っていたから!!
という限りなく怪しい発想と
後に源家から鎌倉幕府が生まれたという事実とが相まって
人気は不滅
江戸時代には架空の二世が戦うニュー戦隊バージョン金平《きんぴら》浄瑠璃が流行するまでに
金時の息子 金平《きんぴら》
そこから育った「元祖キャラクター商品」が
みなさんご存じの「きんぴらごぼう」です
「金平《きんぴら》みたいに強い」味と歯ごたえ

お金もチカラもあった——源頼光

「日本の妖怪の話」（のような題の本）に載っていた「大江山《おおえやま》の酒呑童子」や「鵺《ぬえ》退治※」の話が大好きだった私は、小さいときから源頼光の名前を知っていました。ところが今回この本を書くにあたって、源頼光のことを調べていてびっくりするような事柄が出てきました。特に驚いたことは二つです。

まず源頼光は「鵺退治をした人」と思い込んでいたのですが、実は間違いだったこと（鵺退治をしたのは子孫の頼政《よりまさ》）。

もう一つは、頼光が道長の家司《けいし》であり（道長＝主人、頼光＝家来）、また道長の異母兄弟・道綱の妻の父親であったということです。頼光が、道長の部下（みたいなもの）であるのに、同時に道綱と娘を結婚させていたということはちょっとややこしいかもしれませんが、そこは頼光の財力が関係しているようです。

頼光の血筋は父方（清和《せいわ》天皇）・母方（嵯峨《さが》天皇）ともに天皇家ですが、頼光自身は受領階級でした。血筋はよくても政治の中枢にいなければ大貴族にはなれません。

しかし位は低くても、受領は多大な財産を蓄えることができます。『御堂関白記』に「頼光の邸《やしき》で法事を行った」「方違《かたたが》えのときに頼光の家に滞在した」と記されていますが、道長が滞在するほどですから相当立派な邸だったのでしょう（頼光の邸には、以前道綱母が住んでいました）。このほかにも馬を三十頭献上するなど、道長には財力でもって貢献していたようです。

　武士としての働きはというと『栄花物語』には、頼光が「つはもの（兵士）どもを数しらず多くさぶら」って、宮中の警護にあたったことが記されており、また『平家物語』には「精兵《せいびょう》（弓を引く力の強い者。強い兵士）」の一人として頼光の名が挙げられています。

　平安時代の次は武士が中心となっていきます。頼光は次世代への橋渡し的な存在であったようです。もともと武勇に秀でていて力のある貴族と繫がりがあり、しかも大金持ちとくれば都の人達の噂の的だったでしょう。たった百年ほど経ただけで伝説的な人物になっていますし、伝説もおもしろいので、安倍晴明のようにブームが再来したらいいのになあと思っています。

家系図

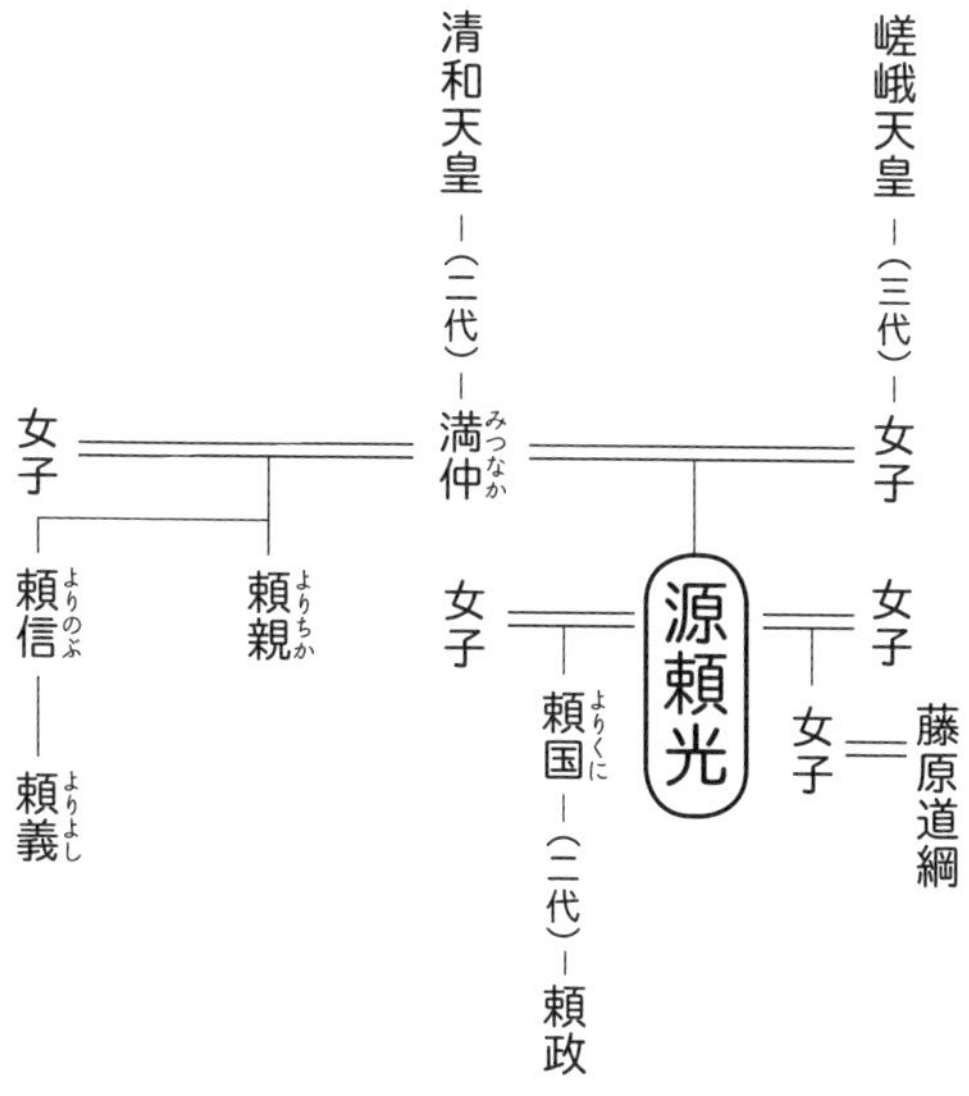
嵯峨天皇
（三代）
女子
清和天皇
（二代）
満仲《みつなか》
源頼光
女子
藤原道綱
女子
女子
頼国《よりくに》
（二代）
頼政
女子
頼親《よりちか》
頼信《よりのぶ》
頼義《よりよし》

※鵺退治……平安時代末期、内裏《だいり》に毎夜あらわれ天皇を悩ませた「頭は猿、胴体は狸、四肢は虎、尾は蛇」という化け物を源頼政が退治したという伝説

ただいま制作中

【伝説のはじまり】

問題
「まさか〜ろう」を使って短文を作りなさい
学生の答え
「まさかりかついだきんたろう」
金
これはインターネット上で広く知られている誤解答の名作です
あ、それうちの学生の答えだ
出典を発見してしまった
アメリカ某大教授

【それぞれの節分】

海野家は伝統行事を忘れない家です
節分には鬼を祓うとされる鰯《いわし》の頭を差した柊《ひいらぎ》を戸口に置いてます
鰯の頭も信心からの語源
蛇家はすっかり忘れています
1月
原稿中
2月
原稿中
季節どころか昼夜の認識もあやうい
そんなことはないです!! 節分だけは思い出します!!
理由：散歩中の犬の挙動が不審になるから
そうか節分か……
豆!!
鰯!!
豆!!

【六章】

菅《すが》原《わらの》孝《たか》標《すえの》女《むすめ》

『更級日記』より

【菅原孝標女《すがわらのたかすえのむすめ》】

（一〇〇八〜一〇五九年頃）平安時代中期の文学者・歌人。学者の家柄で、縁者の多くが学問・文芸で活躍した。

【更級日記《さらしなにっき》】

一〇五九年以降の成立とされる。孝標女の回想記。父の赴任先である上総《かずさ》（現在の千葉あたり）・常陸《ひたち》（現在の茨城あたり）で過ごした少女時代、京での暮らし、宮仕え、結婚生活など四十年余りの人生を回想し綴ったもの。

【夢見るオタク少女 菅《すが》原《わらの》孝《たか》標女《すえのむすめ》】

はじめまして 源氏オタクの 菅原孝標女です
例によって 名前が わからないので 父の名前＋女で 呼ばれてます
※メガネはイメージです
彼女の先祖は 「学問の神様」
菅《すが》原《わらの》道《みち》真《ざね》
もちろん昔は 普通の人間だった 道真公が
After ← Before
在原業平とダチ
ナンパいこうぜ!!
天満宮のカミサマです
なぜ 「神様」に なったのかと いうと
怖かったから
左遷《させん》された 道真公 亡くなる時に
俺をハメた奴ら 祟るから よろしく
ぐはぁ
そうしたら イジメた人が バタバタ死亡 内裏《だいり》※は落雷炎上
道真パネェ!! マジ怖ェ!! 神レベル!!

※内裏：宮城内の天皇の私的区域のこと

怖いから祀《まつ》っとけ!!
本当にすみませんでした!!
これから神って呼んでいいっすか!?
結果本当に神様に出世したすごい人
※今はいい神様になってます
まあでも子孫はただの人です特にうちの父菅原孝標は
道真公の直筆の書に勝手に付け足しをし
菅原家コラボ!!
どや
周囲をドン引きさせたことで有名
ピカソのデッサンに子孫が色をぬって ぐらいのダメさ
コラボ!!
台なし!!
ちょっとボケてますけど……優しくていい父なんです
ニコニコ
孝標は「受領《すりょう》」と呼ばれる中流貴族で国から命じられ地方へ行って知事みたいなことをする人でした
けっこうお金はもらえたらしい
その転勤について行くので私も地方育ち
遠い!
都

当時の地方といえば
田舎から手紙もらったってなんにも得ることないんだから
ポイ
みやげぐらい付けなさいってのよね
こっちは貴重な都の情報送ってるんだから
――と清少納言が切りすてるほどに
タバコはイメージです
なにもない
だから貴重な娯楽が
物語!!
今の連ドラ+マンガみたいなイメージ
しかしめったに手に入らないので
伝聞
そこで光源氏が
わくわく
←義母 宮仕えもしたことがあり流行に詳しい
もちろんうろおぼえ
夕顔《ゆうがお》って生霊にとり殺されるの!?
ガーン
アレ?殺されるのは葵上《あおいのうえ》だったかも
じゃ夕顔は?
月に帰る?
えええええー
それ竹取

『枕草子』二二三段より

あと源氏は空蝉《うつせみ》の弟とつき合う
源氏物語ってSF?
BL?
なんか絶対おかしい気がする
納得いかない……!!
こうなったら絶対に原典を手に入れるわ!!
ゴゴゴゴゴ
その一心でなんと等身大仏像を製作
どうか物語が読めますように!!
できればこの世にあるのぜんぶ!!
その情熱はもっと他のことに使うべき
そのかいあってか
父の転勤で都に帰ったある日
あら久しぶり~大きくなって!!
知り合いのおばさん

実用的なものはつまらないでしょうから……コレをあげるわ
ゴソ
ゴソ
ま、まさかコレは
都で大流行の
源氏物語
全巻コンプリート!!
ど────ん!!
后の位も何にかはせむ※
ハレルヤ
二次元サイコー♡男いらない
※お后の位だって問題にならないわ
御簾《みす》にこもって出てこなくなる
ごはんは?
いらない…

ひたすら夢中になっていたら
ドラゴンボールを与えられた夏休みの小学生男子状態
夢にいと清げなる僧の黄なる地の袈裟《けさ》着たるが来て※
いいかげん勉強もせい!!
怒られる
しかしまったく反省せず
実は君のことが
その結婚待った——!!
美形に囲まれる妄想などして過ごす
ふふふ
ふふふ

※夢の中でとてもきれいな僧で黄色の地の袈裟を着た人がやって来て

我ながら痛い子……!!
大人になって自分の痛さに気づきダメージをうける孝標女
中学ぐらいってそうだよね
千年を超え親近感を覚える蛇蔵

ちなみに他の家族はどんなだったかというと

姉は「不思議ちゃん」
ホラー好き猫好き
ねえ聞いて!今日、夢の中に猫ちゃんが出てきて
今いたらゴスロリの服を着てると思う
おのれは侍従の大納言殿の御むすめのかくなりたるなり※
ニャー
って泣くの!! 大変!! 猫の正体はお姫様よ!!
ええっ!! 道理で高貴だと!!
暴走する姉もちろん止めない妹
それを聞いた父
なに?猫が実は姫!?
それは大変!! 大納言さまに知らせねば!!
お前も止めないのかよ!!

※私は侍従の大納言の姫君がこうなったものなのです

ボケばかりで ツッコミ不足の 一家だったようで
ありえない!! 昔の私 起きたまま 夢見すぎ!!
『更級日記』には 仕方なく 過去の自分に 自分でツッコむ 孝標女の 姿が見られます
長じてからの 彼女を伝える 資料は あまりない のですが
仕事(宮仕え)を はじめたら
家に お前が いないと さびしい ~!!
家族のため 仕事時間を 減らしたら
お願い!! もうちょい 出勤して!!
どうやら けっこう 人気者だったと 思われます
蛇蔵と 凪子にも 人気
かわいいな この人……
かわいい でしょう!!

海野凪子の古典余話《よわ》

きっといいお友達になれると思います ―― 菅原孝標女

平安文学が苦手な私ですが、実は『更級日記』はお気に入りです。

一番はじめに「あ、これおもしろい！」と思ったのは、高校生のころ古典の授業で学んだ「后の位も～」のくだりでした。本もマンガも好きだった自分と彼女が重なったのと、物語に夢中になっていた幼い自分を、苦笑しながら振り返っているところに共感したのではなかったかなと思います。

大学に入り、はじめて『更級日記』を全編通して（現代語訳付きで）読んだときは、「現代の女性と同じような境遇で、しかも考え方まで同じ！　今でもこんな人いるよね」と、孝標女に対して親しみを覚えました。

孝標女は天満宮で有名な菅原道真の子孫であり、伯母は『蜻蛉《かげろう》日記』の作者・藤原道綱母。「文学界のサラブレッド」ですね。ただ孝標女の実母と道綱母は異母姉妹で、かなり年齢が離れているので、孝標女と道綱母に面識があったとは考えられていないようです。

しかし『蜻蛉日記』といえば、平安時代の大ベストセラー『源氏物語』にも影響を与えたという作品です。もし少女時代の孝標女がそのことを知っていたら、御簾《みす》の内で寝ころんで足をバタバタさせながら喜んだに違いありません。『蜻蛉日記』は『源氏物語』とは違い、物語ではなく実話ですし、ちょっとせつない話ですからファンにはならなかったんじゃないかなと思いますが。
『更級日記』は長い間、人の目に触れることなく菅原家にしまわれていました。ところが平安・鎌倉の文化人であり名編集者（だと私は思っています）でもある藤原定家《ふじわらのていか》によって発掘され、世に出ることとなります。こういうところも文学者の家系の縁や繋がりを感じます。

少女時代の思い出を綴った前半部分だけを読んでいると、何やら夢見がちなおっとりした女性のようですが、『新古今和歌集』に歌をとられていたり、『浜松《はままつ》中《ちゅう》納言《なごん》物語』や『夜半《よわ》の寝覚《ねざめ》』といった物語の作者ともいわれているので、素晴らしい才能を持った女性だったのでしょう。孝標女ファンの私としては、彼女が物語作者として文学史上に名前を残していないのはとても残念です。

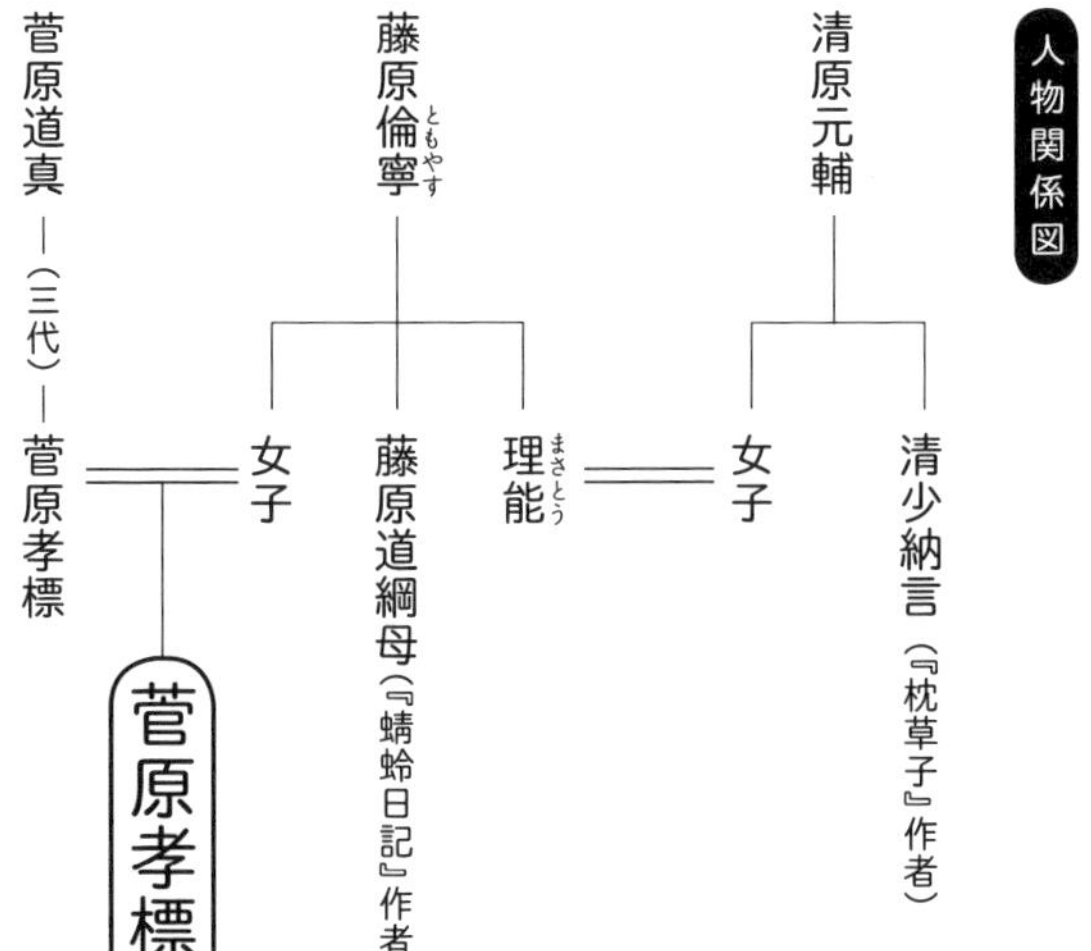
人物関係図
清原元輔
清少納言（『枕草子』作者）
女子
藤原倫寧《ともやす》
理能《まさとう》
藤原道綱母（『蜻蛉日記』作者）
女子
菅原道真
（三代）
菅原孝標
菅原孝標女

ただいま制作中

【わからない同士】

古い
文献と
格闘中
わかった？
六割ぐらいは
なんとか
私は
四割……
二人
足したら
十に!!
……なら
ないね
なぜだ
ならないよ

【昔々……】

日本の古いもの大好き
スウェーデン人の
エレーンさん
私の
おじいさん
が……
自己紹介の
練習中
そこは
「おじいさん」
ではなく
他の言い方に
しましょうか
「祖父《そふ》」だよ
エレーンさん
「おじいさん」
の他の
言い方……
翁《おきな》？
日本
昔話
か

【七章】

鴨《かも》長《ちょう》明《めい》

『方丈記』より

【鴨《かもの》長《ちょう》明《めい》】

(一一五五〜一二一六年)

平安末期〜鎌倉時代の文学者・歌人。後鳥羽《ごとば》院《いん》の恩顧を受け和歌《わか》所《どころ》の寄人《よりうど》となったが後に出家。晩年、日野山に一丈四方の庵を結び『方丈記』を著した。

【方丈記《ほうじょうき》】

一二一二年成立。人の世の無常と、俗世を離れた自らの閑居での生活などを記した鴨長明の随筆。

【家に執着する男 鴨長明《かものちょうめい》】

京都の下鴨《しもがも》神社の一番えらい人の息子それが鴨長明
葵祭《あおいまつり》で有名ですね
広大な荘園も持ってました
つまりはものすご——い
ボンボンなのです
貴族の位※をもらったのが
七歳
ふつうは御曹司でも十代にもらうものでは……?
平清盛《たいらのきよもり》の息子知盛《とももり》でさえ八歳なのにどんだけ……
※従五位下
しかし彼の人生のハイライトは
ここで終わります
終わりませんよ
ピキ
確かに十八で父が亡くなり鴨家の相続に失敗した時は
もう死ぬと騒ぎましたけど

死んだりはせず祖母宅で三十歳までニートを続けて放逐されます
妻も子もいたはずなのに追い出されてしまった……
仕方ない……小さな家でも建てよう
前の十分の一サイズだけど
どぉーーーーん
十分豪邸じゃ
長明は才能あるけど世渡り下手でねぇ……
心配する歌の師匠
理想とプライドだけではやっていけんよ
周りと上手《うま》く合わせないと
余計なおせっかいです人間の友はいりません
和歌と楽器が友だち
そんな孤高で真面目な歌人っぷりが気に入った!!
和歌大好き 後鳥羽院《ごとばいん》
お父さんの跡継ぐのが夢なんだって?
叶えてあげるよ
やったあああ

ごめん無理だった
君を家から追い出した奴らがギャーギャーうるさくて…
似たような地位を新設してあげるから
それでいいよね？……ね？
全然良くありませんッ!!
失踪
周囲唖然
代わりの地位も十分良かったじゃん……
家にこだわりすぎじゃないの？
源家長
都から消えた長明は山にこもって出家します
思えば私は家にこだわりすぎた
終《つい》のすみかのコンセプトは「こだわらない家」
大きさは方丈（四畳半）
特注の建材により移動可能な身軽さを実現
みどころは下鴨社風の新工法採用の土台システム
厳選された楽器がインテリアを引き立てます
天皇に献上するほどの高級品
前の家の百分の一 つまり祖母の家の千分の一のサイズ
ものすごくこだわっているのでは

人は亡くなり
家は無くなる
世は無常だと
知った私です
自然を愛し
静かに
暮らしたいと
思います
……ん？
ドド
鎌倉の将軍
実朝《さねとも》様が
長明さんに
興味がある
そうです
一度会いに
いらっしゃい
ませんか？
良い就職に
つながる
かも……
行き
ます!!
しかし
就活失敗
ずーーん
人は亡くなり
家は無くなる
世は無常だと
知った私です
自然を愛し
静かに
暮らしたいと
思います
『方丈記』
でも
書くか

海野凪子の古典余話《よわ》

武士は嫌いだったんですか？ ——鴨長明

『方丈記』はどちらかというと私の中では印象の薄い古典文学作品でした。

『方丈記』だけではありませんが、学生の頃は覚えなければならないことが多くて「点」でしかその教材を見ることができなかった気がします。たとえば、作者は鴨長明、キーワードは無常観、中世の作品、という風に。

ところがもう暗記する必要もなくなった頃に、ふと便覧をめくってみると、鴨長明の人生がほぼ平氏・源氏両者の興亡に重なっていることに気がつきました（単なる勉強不足ですが）。

しかし『方丈記』には、自然災害の詳しい描写はありますが、「いくさ」ということばは出てきません。

『方丈記』が書かれたのは一二一二年。鴨長明は平家の滅亡も、鎌倉幕府が開かれるまでにあったたくさんの戦も見聞きしていたはずなのに、なぜ書かなかったのでしょう。貴族階級だった鴨長明は、新興勢力の平氏や源氏を認めたくなかったのかもしれませんが、一言も触れないのは不自然な気がします。

今となっては知りようもないことですが、この謎が私にとって『方丈記』を印象深いものにしたことだけは確かです。

【八章】

兼《けん》好《こう》

『徒然草』より

【兼好《けんこう》】（一二八三〜一三五二年頃）鎌倉時代末期の歌人。堀川具守《ほりかわのともり》に仕えてから後《ご》二《に》条《じょう》天皇に仕え、天皇の死後出家。歌道を志し、和歌四天王と称された。

【徒然草《つれづれぐさ》】一三三一年頃成立とされる。仏教的無常観を中心に、人間観察・批評、美意識、教訓、生活全般に関することなど多方面にわたって記した兼好の随筆。

【脱サラ・フリーランサー 兼好《けんこう》】

吉田兼好の『徒然草』は『枕草子』『方丈記』と並んで三大随筆と呼ばれる名作ですが
へー吉田兼好の『徒然草』そんな作品があるんだー
兼好本人→
本人はその名前を知りません
だって!!
確かに随筆は書いたけどタイトルつけてないし
僕の名前は卜部《うらべ》兼好だし
タイトルも吉田という名前も後世勝手についたものです
僕らの時代本にタイトルってつけないのが普通だったんだよ
「吉田」は吉田神社に※ちなんで?
そこは卜部でよかった気も……まあいいか
源氏物語も章名はあったが全体のタイトルは不明だった

※京大近くの吉田神社の神官の血筋だったため、江戸時代頃にまちがって広まった名前が「吉田」

兼好は若い頃サラリーマンでした
大納言・堀川家の事務員
兼好くんちょっと
この文章を論語の中から探すように上から言われてるんだが見つからなくて
それなら九巻のこのへんにありますよ
ササッ
おおありがたい!!
キミ有能だわ～
暗記してるの スゴイ!?!! ね～!!
しかし三十歳になる頃出家を決意
辞表
な、なにがあったの?
内緒です※
どうやって食べてくの?
今後どうするの?
財産が少しあるので贅沢しなければなんとか
人生とは何かを考えながら歌をやりたいです

※理由は今もよくわかっていません

そんなの絶対うまくいかないって!!
ぶぃーーーん
すたすた
ところがどっこい大成功
兼好の歌いいっスよ〜
勅撰集に選ばれるとはね……
和歌四天王とか呼ばれてるしびっくり
今の紅白出場的な栄誉
晩年は紅白の審査員レベルまで行きます
頼まれて和歌に点をつけたりしてました
そんな人が書いた「シンプルに賢く生きる人生ノウハウ本」が『徒然草』
今本屋にあったらこんな感じ
知的生き方フェア
徒然草
和歌四天王の人生論
矢の話
二本の矢をもって稽古するのはよくない

これが外れても次のが当たればいいや
そんな気持ちは捨てなさい
人生も同じ
何事も「矢は一本」と己に戒め今を大切に使うこと
嫉妬の話
ほめられることは他人に悪口を言われる原因です
だから賢いと思われたくて知識を披露してまわるのは止しなさい
愚かな人は他人が賢いことを望みません
油断の話
木のぼりで危ないのはね

高い所にいる時ではなく降りてきて「もう大丈夫」と思ったあたりなんだと庭師さんが言ってました
いいこと言いますね
兼好よりずっと身分が下
身分を問わず学ぶ兼好の姿勢が感じられる一文です

こんな人生訓の間に箸休め的に入る説話がまたおもしろい

マンガみたいな話ばかりなので
4コマで再現してみました

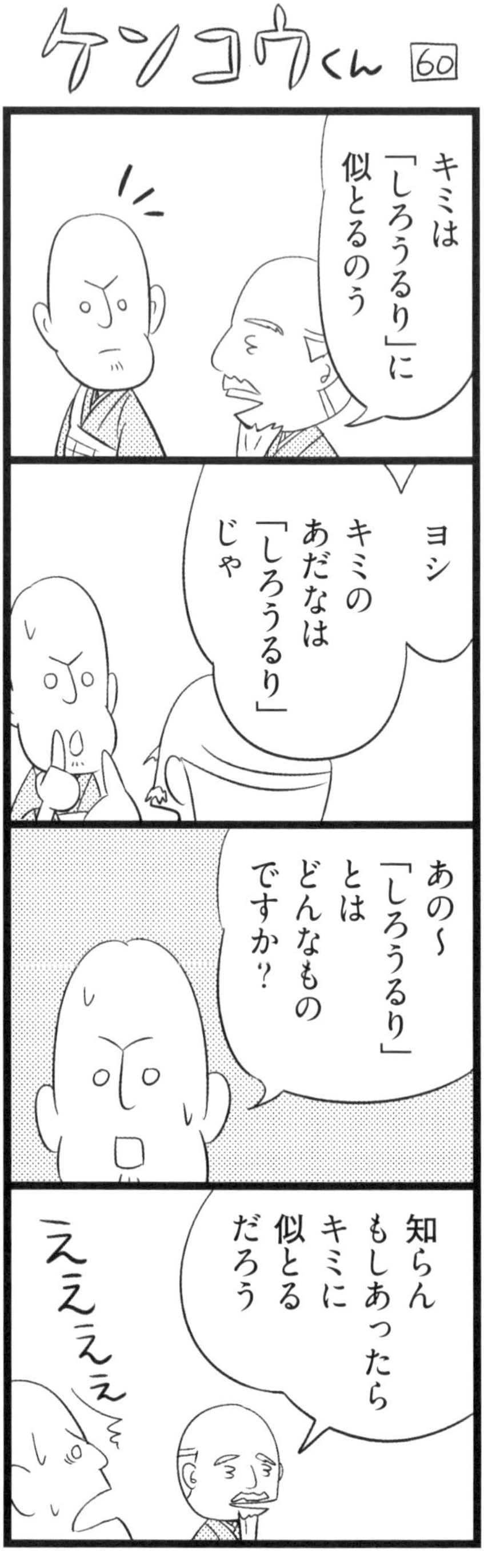
ケンコウくん 60
キミは「しろうるり」に似とるのう
ヨシ キミのあだなは「しろうるり」じゃ
あの～「しろうるり」とはどんなものですか？
知らん もしあったらキミに似とるだろう
えええぇぇ

ケンコウくん 88
これが我が家の宝
「書道の神」小野道風《おののとうふう》の書いた『和漢朗詠集《わかんろうえいしゅう》』なるぞ
『和漢朗詠集』の成立より前に小野道風は亡くなってますよね
無理がありませんか
なんと
そんな珍品でしたか ますます大事にしなくては

ケンコウくん 145

落馬の相 あり
言われた人は 本当に
落ちて 亡くなってしまった
さすがは 先生!! して 落馬の相とは どのような
お尻が丸くて 安定感ないのに あばれ馬に 乗るのが 好きな人 だったんで 彼の顔を "落馬の相" にした までです

ケンコウくん 236

ここが 出雲《いずも》神社か ありがたや 〜
なんと珍しい 置き方の 狛犬と 獅子!!
背中 あわせ とは!!
さすがは 出雲神社 ありがた や〜
あ、それ いたずら 小僧が 動かした だけです から

笑いのセンスがあって
歌も人生相談もうまい
外に向かって求めると苦しくなります
人はただ良いことをしていればいいのです
身近な人の心配ごとをとってあげて正しく生きてりゃそれでOK
今ならタレント文化人として引っぱりだこでしょうが
昔のことですから生活に困る時もあったようで
友人に贈ったこんな歌が残ってます
印税ないし
① 夜《よ》も涼し ⑩
② 寝覚《ねざめ》の仮庵《かりほ》 ⑨
③ たまくらも ⑧
④ 真袖《まそで》も秋に ⑦
⑤ 隔《へだ》てなき風《かぜ》 ⑥
数字の順に読むと
米賜《よねたま》へ銭《ぜに》も欲し※
返事
夜《よ》も憂しねたくわが背子《せこ》はては来ずなほざりにだにしばし問ひませ
同じように読むと「米はなし銭すこし」
※お米ちょうだいお金もほしいな
困っていても楽しそうな兼好なのでした

海野凪子の古典余話《よわ》

明るい「隠者」——兼好

『方丈記』『徒然草』は、隠者文学といわれるジャンルに属しています。隠者とは俗世間とのかかわりを避け、人里離れたところにかくれ住む人のことです。

『方丈記』はその内容からして「隠者文学らしい」と思えるのですが、『徒然草』はどうもその雰囲気から遠いように私には思えます。

たとえば有名な「家の作りやうは、夏をむねとすべし（家の造り方は夏を主とするのがよい）（第五十五段）」などは、快適に生活しようという気持ちがありありと出ています。私には「いい家」に住んでいる隠者はちょっと想像できません。ほかにも「よき友三つあり。一つには物くるる友。二つには医師。三つには智恵ある友（第百十七段）」など、「友達を選ぶ隠者って、どうなの」とちょっと突っ込みたくなるような段が多くあります（それとも私の「隠者」のイメージが間違っているのでしょうか）。

しかし、こうした隠者らしくないところがまた『徒然草』に魅力を持たせているとも思います。研ぎ澄まされた美意識や鋭い批評を語った段にも魅力がありますが、世の人の生活を注意深く観察し、分析している段にもおおいに興味をひかれます。

兼好がもし現代に生きていたら、どんな随筆を書いていたでしょうか。

ただいま制作中

【子供のころのケンコウくん】

【子供のころの私たち】

【九章】 番外編

ヤマトタケル

『古事記』より

【ヤマトタケルノミコト】
古代伝説上の英雄。景《けい》行《こう》天皇の皇子で、本名はオウスノミコト。

【古事記《こじき》】
七一二年成立。太安万《おおのやすま》侶《ろ》が記録。序文と上・中・下巻の三巻からなる。天地創造から推古天皇までの神話・説話・皇室の系譜などが記されている。現存する日本最古の書籍。

【暴走する悲劇 ヤマトタケル】

『古事記』によると
ヤマトタケルの父 景行《けいこう》天皇は
身長が 一丈二寸※1
子供は八十人※2 とっても偉大
一尺30cm計算だと3m6cm
その 景行天皇の 四世代も前に 生まれたらしき人が ヤマトタケルの母
ちょっとまって 一世代 二十歳としても 八十歳は 年上って こと？
姉さん女房にも ほどが
これに対して 国学者 本居宣長《もとおりのりなが》は
深く 疑うべきに あらず
ツッコミ禁止令
そんな 景行天皇が ある日
息子の オウスよ

※1 今とは一尺の長さが違ったと思われますが、大きかったことは確か

※2 八十は具体数ではなく〝多い〟というイメージ数とも

そなたの兄はどうして食事に出てこないのだ
オウス
後に改名してヤマトタケル
そりゃ父上のお妃候補を横取りして気まずいからでしょう
お前行って教え諭してきなさい
五日後
どうしてまだ兄は出てこないのだ
お前まだ言ってないのか？
とっくに諭してやりましたとも
どんな風に？
トイレで襲って手足ちぎって投げて捨ててきました
えええええ

恐れた父に西のクマソ征伐を命じられたオウス
女装して敵の宴会にもぐり込み
おおっ美人発見!!
こっちおいで!!
クマソタケル兄弟
兄をぐっさり
アーーッ
逃げる弟は「剣を尻より刺し通したまひき」
ちょっとまってその刀動かさないで
あなた様お名前は?
オウスです
私の名からタケル(勇者の意)を差し上げますからこれからはヤマトタケルと名乗ればいいと思います
動かしたら死んじゃう
お尻に剣を刺したままこのトーク

この顚末を聞いて
さらに恐れた父に
東の征伐も
命じられ
わあああぁ
父は私など
死ねばいいと
お思いなのか!!
一人でまた
戦えと!?
かわいそうに
……
この
草《くさ》薙《なぎの》剣《つるぎ》で
危機を
乗り切り
なさい
スサノオが
ヤマタノオロチを
倒して手に入れた
レアアイテム
ですよ
おば
←ヤマトヒメ
あとこれは
いざという時
開けなさい
そして
向かった
東国の地で
焼け死ね
ヤマト
タケル!!
謀った
な!?

はっ!!
こんな時こそ おば上に もらったこれを!!
火打ち石!?
わかった ぞ!!
自分の周りの 草を 切り開き……
こっちから 火を つければ
カチ カチ
向火《むかえび》となって 敵の火を くいとめる だろう……!!
ゴオオオオ
この 草を薙《な》いで 切り倒した話が 〝草薙剣〟の 由来です
ちょっと まって おばさんから もらった時から 草薙剣って 名前じゃ なかった?
深く 疑う べきに あらず
ツッコミ禁止令
〝神剣〟 草薙剣は 今は 熱田《あつた》神宮に あると されています
だから 織田信長も 桶狭間の 勝利祈願に ここに行った

そして東日本を平定してまわるのですが
ある日
草薙剣を恋人の所に置いてきてしまったのが運の尽き
え？大丈夫でしょ？
今なんか出ても素手で楽勝
ガサッ
なんか出た——!!
ブヒ
猪……？なんだザコか
俺は山の神と戦いたいんだお前に用はない
ブチッ
ガサ
ガサ
ワシがその山の神じゃああ

キレた神様に呪われてしまいます
う……なんか調子悪ぃ……
でも……父上の所に帰るんだ
倭《やまと》は国のまほろば
たたなづく青垣《あをかき》
山隠《やまごも》れる
倭しうるわし
大和は国の中で
最もすばらしい
重なる山並みは
青い垣根のよう
山に囲まれた
大和はうるわしい

ドサ
フワッ
ヤマトタケルを愛した人らがいくら追ってもその鳥は止まらず
いずことなく去って行ったのでした
「お父さんタケルを愛してあげて」そう思った方は『日本書紀』をどうぞ
まったく別の軍神ヤマトタケルが見られます
兄をちぎったりしないし父にも愛される
そして「まほろば」の歌はよまない
おまけ
飛んで行った白鳥はこの本のどこかにいます気が向いたら見つけてあげてください
計5ヶ所
答えは126ページに

海野凪子の古典余話《よわ》

もちろん神話も「昔話」――ヤマトタケル

『古事記』を本格的に読んだのは大学生の時でしたが、私にとって「日本の神様のお話」は幼い頃からなじみの深いものでした。

まだ小学校に入学する前に、父から『日本の昔話』という本を貰いました。「『もも太郎』とか『こぶとりじいさん』の本はもう持ってるのにな」と思いながら読みはじめると、みずら※1を結い、勾玉を下げた神様たちの挿絵が出てきて驚いたことを覚えています（父も「そっちの昔話か！」と思ったのでは）。

もうその本は手元にありませんが、何度も繰り返し読みました。

特に好きだったのはスサノオノミコトとヤマタノオロチの話※2です。スサノオノミコトはクシナダヒメを助けるためにヤマタノオロチを退治し、その後クシナダヒメを妻とします。

その時スサノオノミコトが詠《よ》んだ歌、「八雲《やくも》立つ　出雲《いづも》八重垣《やえがき》　妻籠《つまごみ》に　八重垣作る　その八重垣を」※3（日本最古の和歌といわれています）があります。

『日本の昔話』にこの歌が載っていたかどうかは覚えていないのですが（子供向けだからなかったかもしれません）、はじめてこの和歌を知った時「三十一文字の中に三回も『八重垣』を詠みこむなんてずいぶんのびのびとした歌だな」と思ったものです。先に技巧的な平安時代の和歌を知っていたせいでしょうか。

　素直でおおらかな『古事記』の和歌は他にもたくさんありますが、一番好きなのはやはりヤマトタケルノミコトの「倭《やまと》は国のまほろば　たたなづく　青垣《あをかき》　山隠《やまごも》れる　倭しうるわし」※4です。この歌を知ったのがいつのことだったか覚えていませんが、幼い頃から知っていて、長い間「まほろば」のことをなぜか「馬」だと思い込んでいました。

　この歌は意味がまったくわからなかった頃から言葉のリズムや音が好きでしたが、詠まれた背景やヤマトタケルノミコトのことを知ると、自然の美しさや故郷にたいする思いなどがしみじみと感じられ、素朴な言葉であっても（素朴だからこそ、でしょうか）深く心に残るものだと思いました。

自分の故郷を「一番すばらしく美しいところ」だと思う人の気持ちは何千年経っても変わらないものなんですね。

勾玉《まがたま》に穴を
開けるのは
当時は大変だった
ようです……

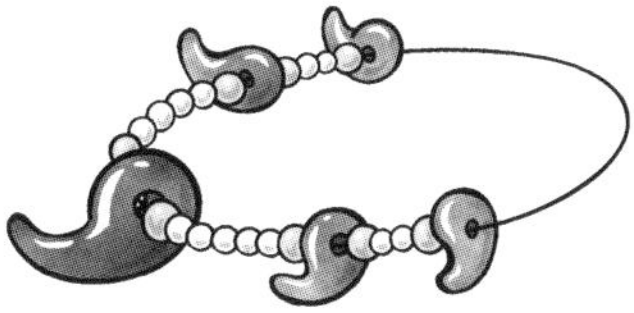

※1　ヤマトタケルノミコトの髪型（99ページ参照）

※2　出雲国で人々を苦しめ毎年娘を一人ずつ食べていたヤマタノオロチ（八頭八尾の大蛇）を、スサノオノミコトが酒に酔わせて退治し、クシナダヒメを救った

※3　どんどん湧き出る雲が垣根のようになっている出雲、妻をこもらせるために宮の周りに八重垣を作ろう、みごとな八重垣を

※4　大和の国は国々の中でも最もすばらしい国だ。重なった青い垣根のような山、その山々の中にある大和は美しい国だ

〈※3・4は『古事記 上代歌謡』（小学館）より〉

ただいま制作中

【『古事記』のおもしろい話】

海幸山幸の章より
今から元の姿に戻って子供を生みますが
決して見てはいけませんよ
スーーーッ
しかし我慢しきれなくなった夫は
見てしまいます
←山幸こと山のホオリ ヤマトタケルの遠いご先祖様
なんと妻の正体はサメだったのです!!
見られたからにはさようならです
鶴の恩返しみたいな話ですが
サメ
鶴とちがって去っていく姿が想像できません
びち
びっち
陸上

【そろそろ佳境】

今からマンガを描きますが
時々見張ってくれていいですよ
スーーーッ
しかし全然覗く気配なし
ふすまはイメージです 実際は電話でやりとりしています
あの〜たまに覗くとか叱咤激励などはないのでしょうか……
ありません
だって蛇さんが「やる」と言ったんだからやるでしょう?
どんな監視よりも効果がある
それは「信頼」
ニコ

おかげさまで本になりました 凪子先生の先生力を見た

【巻末ふろく】

古典のおはなし　こぼればなし

ここまでの本編では、古典の有名な人物に焦点をあてて紹介してきました。
しかし、古典には笑えたり、驚かされたり、不思議だったりと、
おはなし自体がおもしろいものもたくさんあります。
ここでは、今読んでも楽しめる古典のおはなし7つをご紹介します。

《カミサマのガマン大会》

【播《はり》磨《ま》国《こく》風《ふ》土《ど》記《き》】

…… 奈良時代初期に編纂された、播磨(現在の兵庫県あたり)の地誌。

なあ
トイレをガマンしながら歩くのと
重いものかついで歩くのと
どっちがキツいと思う?
スクナヒコネノミコト
オホナムヂノミコト
同じぐらいじゃね?
そんなの試してみないとわかんねーよ
じゃあ俺はトイレガマンするわ
俺は荷物かつぐよ
数日後
ヤバイ…… 俺マジヤバイ
キてるよ キたよ
俺もヤバイ マジヤバイ
藪《やぶ》へゴー!!
俺も荷物投げるから!!
君らは小学生男子か

《YES!! 男同士の愛》

【万《まん》葉《よう》集《しゅう》】（三九四三番・三九四四番より）……740年前後に成立したとみられる現存最古の歌集。奈良時代初期からの歌が集められた原本に、大伴家持《おおとものやかもち》が手を加えたと推定されている。

平安時代は男同士でラブラブなことはそんなに珍しくありませんでした
今日A君とデートして具体的にはこんなことをした
堂々と日記に書く左大臣藤原頼長
それより古い万葉集の頃は
もっと大らかだったので
秋の田の穂向き見がてり我が背子がふさ手折り来《け》るをみなへしかも
秋の田の穂の向きを見ながらあなたが折ってくれたおみなえしですね
をみなへし咲きたる野辺《のへ》を行き巡り君を思ひ出たもとほり来ぬ
おみなえし咲く野辺を行き来してあなたを思い出しつつ人目を避けてまわり道して来ました
贈る歌も返す方も両方〝我が背子〟（恋しい男性）な歌が結構残ってます
この人は万葉集編纂で有名な大伴家持

《ウソ泣きする男》

【古本説話集《こほんせつわしゅう》】（平中事《へいちゅうがこと》〈第一九〉より）

……平安末～鎌倉はじめに成立。編者は未詳。和歌説話と仏教説話から成る。

平安時代
涙は男の武器でした
「ここぞ!!」という時にぽろりと泣けば女のコはイチコロ!!
そんな訳で俺はいつでも泣けるように
女好きで有名な平中(へいちゅう)
水を入れた瓶《かめ》を肘《ひじ》にぶら下げてこっそり持ち歩いてます!!
これをちょいとつければ
すぐ泣き男に!!
さあ今日もたいして好きでもない女のコをウソ泣きテクで落としに行こうっと!!
バカな男
妻
瓶の中の水を墨に変えといてやったわよ思い知ればいいわ
ふふふふ
翌朝
わあああ
思い知った!!
ぷぷぷ

この平中は有名人だったようで、『源氏物語』にも「平中じゃないけど涙もろい」という一文で出てきます

《その名前はひどすぎる》

【沙石集《しゃせきしゅう》】（上人《しょうにん》子《こ》持《もち》タル事《こと》〈巻第四の二〉より）……1283年成立の仏教説話集。作者は無《む》住《じゅう》道《どう》暁《ぎょう》。万人を仏法で救う目的で書かれたが、仏教と関係のない滑稽談も。

ある僧には妻が三人いてそれぞれに子供がいました
一人目の奥さんの子供には
「俺の子じゃない」
という名前をつけ
二人目の奥さんとの子供には
「俺の子かもしれない」
命名
三人目の奥さんとの子供には
「俺の子でまちがいない」
この一家に直接会ったという人の話
「俺の子じゃない」ちゃんは大人びたクールな子供に育ってました
そりゃクールにもなるわ

《ヒーローの正体》

【徒然草】（第六八段より）…… 1331年頃成立の随筆。作者は兼好。人間生活のさまざまな場面への批評・感想・伝聞などが述べられている。詳しくは89ページからの「八章　兼好」をどうぞ。

大根は体にいいい!!
として毎日二本食べていた男
あるとき敵襲に遭い
くっ……もう
だめか……
お助けもうす!!
ドン
あ、ありがとう……しかし君達は一体……
あなたが毎日食べてた
大根です
えええええ
信じる者は救われるという話
私だったら助けに来てくれそうなのは……
納豆か
ねば

《転んでもタダでは起きない男》

【今昔物語集】（巻二八より）……1120年以降の成立とされる日本最大の説話集。編者は未詳。各説話は「今は昔」ではじまり、原則「となむ語り伝へたるとや」で終わる。五章（59ページ）の源頼光も登場する。

国守《こくしゅ》※藤原《ふじわらの》陳忠《のぶただ》が谷に落ちてしまった時のこと
※今の県知事に近い
お〜い カゴを下ろせ〜
殿は生きていらっしゃるぞ!!
ようし引け〜
なんか軽いな？
これ本当に殿が乗ってるか？
？
？
？
ぐっ
ぐっ
たぐりよせて見ると
平茸《ひらたけ》!?
二回目にやっと本人が乗って来る
だって落ちた所に平茸がいっぱい生えてたんだよ
もっとあったのに惜しいことした
命の心配より平茸取りとは
「なんとあさましい」と結ばれていますが
今なら「見上げた経営者魂!!」と評価されるかも

《以下 次号!!》

【堤《つつみ》中《ちゅう》納《な》言《ごん》物語】(〈虫めづる姫君〉より)……平安後期以後に成立した短編物語集。作者は未詳。「花桜折る少(中)将」「このついで」など、十編の物語から成る。

あるところにとても変わった姫君がいました
虫なんか大切にして眉も抜かずお歯黒もしないなんて!!
人様になんと言われるか……!!
ひー
つくろい飾ることがよいとは思えないの
大切なのは万物の行く末を追求し本質を見ること
人の噂など気になりません
私はこの虫の成長を観察したいのです
かは虫の心深きさましたるこそ心にくけれ※
言っていることは正しいから反論しにくい……
う〜む
その噂を聞きつけたさる名家の御曹司
そんなおもしろい姫がいるのか!!
いくら虫好きでもこの本物そっくりの蛇にはビビるだろう
動よく
にょろ

※毛虫の考え深く見える様子に心ひかれます

恋歌をそえてプレゼント
這ってでもお側にいましょう長く続く心をもって
キャアアアーッ
騒がないで
これだって前世の親かもしれないのですよ……
ホラ怖くない
返事も書きます
返歌
ヘビノスガタデハイッショニハイラレマセンネ
色気ない紙にカタカナで和歌!?
この姫は手紙まで変なのか!!
むしろすごく会いたくなった……!!
女装して覗きに行くことに
ガサ
キッ
誰!?
美人じゃないか……!!
気になる続きは二巻で!!
なのに続かない
というすごい終わり方をする話なのでした
←この一言は作者の遊び
こんな手法がアリなのか
じゃあこの本も二巻に続
こらこら
この先が気になってナウシカが生まれたと宮崎駿氏談

日本人なら知っておきたい文学年表

時代区分	西暦	作品	作者・編者
奈良時代	七一〇	平城京に遷都	
	七一二	**古事記《こじき》**	太安万侶《おおのやすまろ》
	七一五	○播磨国風土記《はりまこくふどき》	
	七五九	○万葉集《まんようしゅう》	大伴家持《おおとものやかもち》？
平安時代	七九四	平安京に遷都	
	九七四	○蜻蛉《かげろう》日記	藤原道綱母《ふじわらのみちつなのはは》
	九八四	○宇津保《うつほ》物語	
	一〇〇〇	○**枕草子《まくらのそうし》**	**清少納言《せいしょうなごん》**
	一〇〇七	○和泉《いずみ》式部日記	和泉式部
	一〇〇八	○源氏《げんじ》物語	**紫式部《むらさきしきぶ》**
	一〇一〇	○**紫式部日記**	**紫式部**
	一〇一二	○和漢朗詠集《わかんろうえいしゅう》	藤原公任《ふじわらのきんとう》
	一〇一三	○紫式部集	**紫式部**
	一〇二一	**御堂関白記《みどうかんぱくき》**	**藤原道長《ふじわらのみちなが》**
	一〇二八	○栄花《えいが》物語	赤染衛門《あかぞめえもん》？
	一〇四五	○浜松中納言《はままつちゅうなごん》物語	**菅原孝標女《すがわらのたかすえのむすめ》？**
	一〇五五	○堤《つつみ》中納言物語	
	一〇五九	○夜半《よわ》の寝覚《ねざめ》	**菅原孝標女？**

○印はその頃、◁印はこれ以降成立。

時代	年	作品・出来事	作者
	一〇五九	◁**更級日記**《さらしな》	**菅原孝標女**
	一一一五	○**大鏡**《おおかがみ》	
	一一二〇	◁**今昔物語集**《こんじゃくものがたりしゅう》	
	一一三〇	○古本説話集《こほんせつわしゅう》	
	一一八五	平氏滅亡	
鎌倉時代	一二〇五	○新古今和歌集《しんこきんわかしゅう》	藤原定家《ふじわらのさだいえ》（ていか）ら
	一二一二	**方丈記**《ほうじょうき》	**鴨長明**《かものちょうめい》
	一二一三	○宇治拾遺物語《うじしゅういものがたり》	
	一二一五	○古事談《こじだん》	源《みなもとの》顕兼《あきかね》
	一二一九	○平家《へいけ》物語	
	一二八三	沙石集《しゃせきしゅう》	無住道暁《むじゅうどうぎょう》
	一三三一	○**徒然草**《つれづれぐさ》	**兼好**《けんこう》
室町時代	一三三三	鎌倉幕府滅亡	
		◁御伽草子	
江戸時代	一五九六	簠簋抄《ほきしょう》	
	一六〇三	徳川家康江戸開府	
	一六七五	北条九代記	浅井了意《あさいりょうい》

◎主な参考文献

『安倍晴明』斎藤英喜（ミネルヴァ書房）
『安倍晴明』繁田信一（吉川弘文館）
『安倍晴明伝説』諏訪春雄（筑摩書房）
『卜部兼好』冨倉徳次郎（吉川弘文館）
『王朝摂関期の「妻」たち』園明美（新典社）
『王朝文化を学ぶ人のために』秋澤亙、川村裕子編（世界思想社）
『大鏡』武田友宏編（角川学芸出版）
『大鏡』保坂弘司（講談社）
『御伽草子（下）』市古貞次（岩波書店）
『お伽草子・伊曾保物語』徳田和夫編集・執筆／矢代 静一エッセイ（新潮社）
『鬼・雷神・陰陽師』福井栄一（ＰＨＰ研究所）
『改定 史籍集覧第二十七冊』近藤瓶城、近藤圭造（臨川書店）
『快楽でよみとく古典文学』大塚ひかり（小学館）
『鴨長明』三木紀人（新典社）
『兼好』島内裕子（ミネルヴァ書房）
『兼好法師』桑原博史（新典社）
『源氏物語 六條院の生活』五島邦治監修（宗教文化研究所　風俗博物館）
『古記録の研究』桃裕行（思文閣出版）
『古今著聞集（上・下）』西尾光一、小林保治校注（新潮社）
『古事記』西宮一民校注（新潮社）
『古本説話集（上）』高橋貢（講談社）
『今昔物語集』角川書店編（角川書店）
『今昔物語集 本朝世俗部三』阪倉篤義、本田義憲、川端善明校注（新潮社）
『今昔物語集 本朝世俗部四』阪倉篤義、本田義憲、川端善明校注（新潮社）
『最新国語便覧』浜島書店編集部編著（浜島書店）
『酒呑童子の誕生』髙橋昌明（中央公論新社）
『更級日記』菅原孝標女／池田利夫訳注（笠間書院）
『更級日記』菅原孝標女／川村裕子編（角川学芸出版）
『更級日記』菅原孝標女／原岡文子訳注（角川学芸出版）
『沙石集』渡邊綱也校注（岩波書店）
『常用国語便覧』加藤道理ほか編著（浜島書店）
『新釈古事記』石川淳（筑摩書房）
『新編 日本古典文学全集14～16 うつほ物語』中野幸一訳注（小学館）
『新編 日本古典文学全集26 和泉式部日記 紫式部日記 更級日記 讃岐典侍日記』藤岡忠美、犬養廉、中野幸一、石井文夫（小学館）
『新編 日本古典文学全集34 大鏡』橘健二、加藤静子訳注（小学館）

『新編 日本古典文学全集35〜38 今昔物語集1〜4』馬淵和夫、国東文麿、稲垣泰一訳注（小学館）
『新編 日本古典文学全集50 宇治拾遺物語』小林保治、増古和子訳注（小学館）
『図解 陰陽師』高平鳴海、土井猛史、若瀬諒、天宮華蓮（新紀元社）
『菅原孝標女』津本信博（新典社）
『受領と地方社会』佐々木恵介（山川出版社）
『清少納言』萩野敦子（勉誠出版）
『清少納言』岸上慎二（吉川弘文館）
『清少納言』藤本宗利（新典社）
『摂関時代文化史研究』関口力（思文閣出版）
『堤中納言物語　とりかへばや物語』大槻修、今井源衛、森下純昭、辛島正雄校注（岩波書店）
『徒然草』吉田兼好／今泉忠義訳注（角川学芸出版）
『日本古典文学全集1 古事記 上代歌謡』荻原浅男、鴻巣隼雄訳注（小学館）
『日本古典文学全集11 枕草子』清少納言（小学館）
『日本古典文学全集27 方丈記 徒然草 正法眼蔵随聞記 歎異抄』神田秀夫ほか訳注（小学館）
『日本古典文学全集36 御伽草子集』大島建彦訳注（小学館）
『藤原摂関家の誕生』米田雄介（吉川弘文館）
『藤原道長』朧谷寿（ミネルヴァ書房）
『藤原道長』山中裕（吉川弘文館）
『藤原行成』黒板伸夫（吉川弘文館）
『方丈記（全）』武田友宏編（角川学芸出版）
『枕草子』稲賀敬二訳（學燈社）
『枕草子（上・中・下）』上坂信男、神作光一、湯本なぎさ、鈴木美弥（講談社）
『枕草子』角川書店編（角川学芸出版）
『万葉集』角川書店編（角川学芸出版）
『萬葉集 4』小島憲之（小学館）
『御堂関白記』藤原道長／繁田信一編（角川学芸出版）
『御堂関白記（上・中・下全現代語訳）』藤原道長／倉本一宏訳（講談社）
『源満仲・頼光』元木泰雄（ミネルヴァ書房）
『源頼光』朧谷寿（吉川弘文館）
『紫式部』稲賀敬二（新典社）
『紫式部』今井源衛（吉川弘文館）
『紫式部』後藤幸良（勉誠出版）
『紫式部日記 ビギナーズ・クラシックス・日本の古典』紫式部／山本淳子訳注（角川学芸出版）
『紫式部日記』紫式部／山本利達校注（新潮社）
『ヤマトタケル』鈴木邦男（現代書館）
『日本武尊』上田正昭（吉川弘文館）

あとがき

　以前、蛇蔵さんに「日本語学校でも文学史について話すことがある」と話しました。「どんなふうにやってるの？」と聞かれたので、「受験のために勉強するわけじゃないから、私がおもしろいなと思ったところを取り上げて簡単にやってるんだけど」と、授業の内容を説明しました（『今昔物語集』の「羅生門」が出てくる話だったと思います）。

　そこでお互いに知っている古典文学の「あまり有名じゃないけどちょっとおもしろいこと」（いわゆるネタになりそうなこと）を話し合ったのが、この本を書くきっかけになりました。

　私は、自分が「おもしろい！」とか「興味深いなあ」と思ったことを蛇蔵さんに話し、エッセイにも書いたのですが、皆さんはどのように思われたでしょうか。

　楽しんで頂ければ幸いです。

海野凪子

体験を元にしたコミックエッセイとは別に、手軽に学ぶことを目的とした「コミック新書」的なものを描いてみたい。以前から心にあったものを、凪子さんと一緒に形にすることができて、とても嬉しく思っています。

言うまでもないことですが、古典の解釈には諸説あり、限られたコマの中では紹介に限界があります。それに私は教育の専門家ではないので、「正しい入門書」は書けません。
でも、結構長いことコピーライターだったので、「ものごとを簡単に説明する」のは得意です。それなら、違う世界を覗き見る「窓」ぐらいなら開けられるかもしれない。
そう思って挑戦してみることにしました。

この小さな窓から見える景色を、どうか楽しんで貰えますように。

蛇蔵

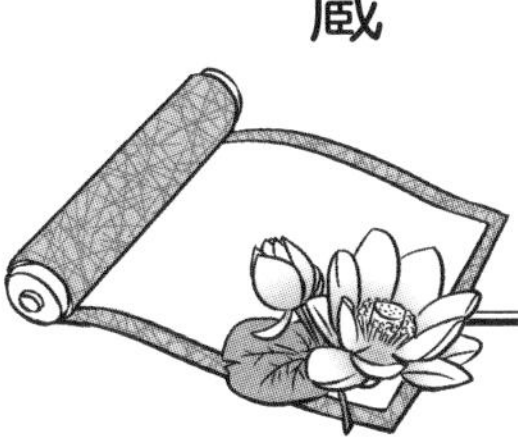

Special Thanks!!

幻冬舎 福島さん
担当 前田さん
デザイン セキネシンイチさん
校正のみなさん＆芳子さん

宮崎正美さん
K.Tanakaさん
Toyomoさん

小田真琴さん

山崎さん まないさん
アダムさん あらいさん
K先生 わかなさん＆いとながさん
N先生 学生のみなさん

家族

白鳥クイズの答え

24ページ下段右

32ページ下段右

74ページ中段右

113ページ下段右

カバー下

日本人なら知っておきたい日本文学

ヤマトタケルから兼好まで、人物で読む古典

二〇一一年八月二五日　第1刷発行
二〇二〇年三月二〇日　第20刷発行

著者　蛇蔵&海野凪子

発行者　見城徹

発行所　株式会社幻冬舎
〒一五一-〇〇五一　東京都渋谷区千駄ヶ谷四-九-七
電話〇三(五四一一)六二一一(編集)　〇三(五四一一)六二二二(営業)
振替　00120-8-767643

ブックデザイン　セキネシンイチ制作室

印刷・製本所　株式会社光邦

検印廃止

ISBN978-4-344-02037-5　C0095

幻冬舎ホームページアドレス
https://www.gentosha.co.jp/

この本に関するご意見・ご感想をメールでお寄せいただく場合は、comment@gentosha.co.jpまで。